100
MANERAS DE MOTIVAR A LOS DEMÁS

Cómo liderar y producir resultados asombrosos
sin estresar a quienes te rodean

Steve Chandler
y Scott Richardson

TALLER DEL ÉXITO

Publicado por:
Taller del Éxito, Inc
1669 N.W. 144 Terrace, Suite 210
Sunrise, Florida 33323
Estados Unidos
www.tallerdelexito.com

Editorial dedicada a la difusión de libros y audiolibros de desarrollo personal, crecimiento personal, liderazgo y motivación.
Diseño de portada y diagramación: Diego Cruz

ISBN 10: 1-607381-62-1
ISBN 13: 978-1-60738-162-4

Printed in the United States of America
Impreso en Estados Unidos

14   15   16   17   18   R|UH   06   05   04   03   02

A Rodney Mercado

Reconocimientos

Al más grande motivador que haya existido jamás, el Sr. Rodney Mercado, niño prodigio, genio en diez áreas distintas del conocimiento y profesor de música y violín en University of Arizona.

A Chuck Coonradt, quien, a diferencia de otros consultores, no solamente habla de cómo motivar a otros, sino que tiene un sistema comprobado, *The Game of Work*, el cual produce tanto resultados asombrosos como diversión en el lugar de trabajo. Al comienzo, Chuck utilizó *The Game of Work* en su propia empresa, posteriormente, tomó los resultados que obtuvo de esa experiencia y los brindó en beneficio de la compañía Positive Mental Attitude Audiotape. Chuck se dio cuenta de que lo que había descubierto, *The Game of Work*, valía una fortuna para empresas de todos los tamaños. ¡Su descubrimiento le trajo éxito financiero como nunca antes a Positive Mental Attitude! Y además le ha ayudado a triunfar a nuestro propio negocio.

Al extraordinario motivador, Steve Hardison, de cuyo talento hemos escrito bastante, pero nunca suficiente.

A Ron, Fry, Gina Talucci y Michael Pye en Career Press, por muchos años de increíble servicio en pro de nuestros esfuerzos por escribir.

Y a la memoria de Lyndon Duke (1941-2004), un magnífico educador, motivador y amigo.

Mientras que el mundo de los negocios es un juego de cifras, el verdadero éxito se mide de acuerdo con tesoros emocionales inmensurables como amistad, servicio, ayuda, aprendizaje, o dicho de otra forma: quien muere con mayores satisfacciones, gana.

—Dale Dauten

Contenido

Introducción
a la Tercera Edición

E
l mundo del liderazgo ha cambiado dramáticamente desde que publicamos la primera edición de este libro. A eso se debe que Scott Richardson y yo lo hayamos revisado y actualizado de manera tal, que corresponda a las necesidades actuales.

Hemos agregado otras 10 maneras distintas para motivar a los demás que resultan eficaces en el mundo en que vivimos.

En esta versión incluimos el respeto vigente que merecen la comunicación y la toma de decisiones rápidas que demanda la comunidad global.

La importancia del autoliderazgo, así como el aprovechamiento de la energía física del individuo, se han agregado a la lista de los principios sólidos que tanto popularizó a la primera edición de este libro entre los líderes y gerentes de toda clase de organizaciones corporativas, educativas y sin ánimo de lucro, incluyendo también a algunos grupos comunitarios, e inclusive, al núcleo familiar.

Para motivar a otros se requiere una conexión verdadera con los anhelos más profundos de aquellos a quienes deseamos impactar. No es sólo cuestión de atiborrarlos con fórmulas para lograr esto y lo otro. Transformar es más importante que informar. Tomar acción es primordial. Un excelente motivador valora más los retos que la credibilidad y no perdería tiempo intentando que su equipo confíe en un cambio o sistema —sino que trabajaría en la manera de desafiarlo.

La mentalidad de cambio en el lugar de trabajo, y en el mundo actual, es exponencial. Ya no se trata de un cambio lineal ni predecible, sino de ese cambio absolutamente inesperado y abatidor, descrito de forma dramática en *The Black Swan*, de Nassim Nicholas Taleb. Debido a esta nueva circunstancia, la mentalidad de los grandes motivadores es darle la bienvenida al cambio y, en consecuencia, ayudar a sus equipos a verlo en *todo* momento, como una oportunidad creativa.

Las organizaciones son ahora más vulnerables y susceptibles de desaparecer abruptamente, y además corren el riesgo de volverse obsoletas en un abrir y cerrar de ojos. Pero quien sabe a ciencia cierta permanecer motivado, y motivar a otros, lejos de parecerle esta una eventualidad temerosa, la encuentra emocionante.

Esta edición aborda todos esos giros de la realidad organizacional. Actualiza y mide tus habilidades como líder para motivar a otros a sentir la misma motivación que tú hacia el mercado global y las oportunidades que brinda. Las 10 nuevas maneras de motivar a los demás, que hemos agregado en esta edición, funcionan en nuestro trabajo y en el de nuestros clientes. No son solamente teoría, y a eso se debe que te invitemos a usarlas de inmediato. Míralas como *herramientas*, no como simples *normas*.

—Steve Chandler

1. Observa de dónde procede la motivación

El liderazgo consiste en lograr que alguien haga lo
que tú quieres... porque ese alguien también quiere.
—DWIGHT D. EISENHOWER

Este es el caso de un gerente llamado Tom, quien llegó temprano a un seminario que íbamos a comenzar, basados en el tema del liderazgo. Vestía una camiseta verde oliva con un pantalón blanco, como listo para un día de golf. Caminó hasta el frente del salón y nos dijo:

—"Verán, su sesión no es obligatoria, así que no estoy planeando asistir a ella".

—"Está bien, pero no entiendo por qué viene tan temprano para decírnoslo. Debió haber algo que le interesaba saber".

— "Bueno, sí", confesó. "Todo lo que quería saber era cómo lograr que mi equipo de ventas mejore. ¿Cómo los manejo?".

— "¿Es eso todo lo que usted quería saber?".

— "Sí, eso era todo", declaró.

— "Bueno, vamos a ahorrarle mucho tiempo, y a asegurarnos de que llegue a su juego de golf a la hora apropiada".

El gerente se inclinó hacia adelante esperando escuchar las palabras de sabiduría que le mostrarían cómo liderar a su gente. Entonces yo le dije:

— "No hay nada que usted pueda hacer a ese respecto".

— "¿Qué?"

— "Usted no tiene la capacidad de liderar a nadie. Así que ya quedó listo para irse, y que tenga un gran juego".

— "¿Qué me está diciendo?", preguntó Tom. "Pensé que me daría todo un seminario para motivar a los demás. ¿Qué significa eso de que no puedo motivar a nadie?".

— "Damos seminarios enteros respecto a este tema, pero una de las primeras premisas que les enseñamos a los líderes que asisten consiste en que en realidad ellos no tienen cómo controlar directamente el grado de motivación de sus equipos. La motivación siempre procede de lo profundo de sus empleados, no de ellos".

— "Y entonces, ¿qué es lo que usted enseña?".

— "Enseñamos cómo hacer que las personas se motiven a sí mismas. Esa es la clave. Y eso se logra mediante el manejo de acuerdos, no de gente, repito: no de gente. De eso es de lo que vamos a hablar en esta sesión de hoy".

El gerente puso las llaves de su carro entre el bolsillo y se sentó en la primera fila, en la silla más cercana al escenario, durante toda la conferencia.

2. Enseña autodisciplina

Tener disciplina es saber enfocarte en lo que quieres.
—DAVID CAMPBELL, FUNDADOR DE SAKS FIFTH AVENUE

El mito en el cual casi todos creemos es en que *hay que nacer* con autodisciplina. Pensamos que es algo en nosotros, como un don genético, que poseemos o simplemente no poseemos.

La verdad es que todos, no solamente *tenemos* la capacidad para autodisciplinarnos, sino que además, todos somos libres de *usarla*, que es muy distinto. O dicho de otra forma: la autodisciplina es como cualquier lenguaje: todo niño tiene la facultad de aprenderlo. (De hecho, todo niño aprende un lenguaje). Una persona de 90 años de edad también lo puede aprender. Si tu edad es de 9 o 90 años, y estás perdido en medio de un aguacero en Inglaterra, utilizarás el inglés que manejas hasta lograr encontrar un lugar cálido y seguro. ¡Y te funcionará!

En este caso, el inglés es igual a la autodisciplina: no naciste con ninguno de los dos, pero estás en capacidad de usarlos en la medida en que lo desees, sea mucho o poco. Y mientras más los uses, más metas alcanzarás.

Si fueras un hispanohablante transferido a USA, para vivir durante un año, y necesitaras organizarte allá, mientras más español uses, mejor para ti. Si nunca lo habías usado, incluso así estás en capacidad de empezar a usarlo. Abres tu pequeño diccionario de frases en inglés y español y empiezas a preguntar direcciones o a pedir ayuda apoyándote en él —y para hacerlo no necesitaste de alguna cualidad en especial.

Lo mismo ocurre con la autodisciplina, aunque mucha gente no lo crea. Hay quienes opinan que, o la tienes o no la tienes. Para otros, es un rasgo de personalidad, lo cual es un grave error. Es tan grave, que le arruina la vida a quien así piensa.

Mira cómo algunos lo malinterpretan: "Él sería mi vendedor estelar, si tuviera autodisciplina", dijo hace poco el líder de una empresa, "pero no la tiene".

No es cierto. Ese vendedor tiene la misma capacidad de autodisciplina que el resto de la gente, es solo que no ha decidido usarla. Si la persona que lideras en realidad entendiera que la autodisciplina es una herramienta que se *usa*, y no una cualidad que simplemente *se tiene o no se tiene*, entonces la usaría para lograr cualquier meta que se propusiera, cada vez que quisiera, o desistiría de usarla cuando así lo decidiera.

Pero en lugar de eso, tu subalterno se preocupa, se enfoca en dudar acerca de si tiene o no lo que se necesita para alcanzar su sueño, o se dedica a tratar de recordar si sus padres o personas que lo criaron, lo dotaron con lo que requiere para ser autodisciplinado. (Algunos creen que la autodisciplina surge a partir de la experiencia; otros opinan que es genética. Lo cierto es que las dos opiniones son incorrectas. No viene con nosotros. Es una *herramienta* que todos tenemos al alcance de la mano, como cualquier martillo o como el diccionario).

La buena noticia es que nunca es demasiado tarde para corregir ese error, tanto en ti como en quienes te rodean. Siempre es sabio conocer la verdad. Los líderes de mentalidad abierta perciben más acerca de su personal porque saben que cada miembro de su equipo tiene lo que se requiere para triunfar. Por eso ellos no compran excusas, no creen en las disculpas ni otros fatalismos tristes que la mayoría de perdedores aduce de manera magistral frente a sus jefes. Simplemente, no les creen.

3. Sintonízate antes de empezar

No le digas a la gente cómo lograrlo, diles qué hacer
y permite que te sorprendan con los resultados.
—GEORGE S. PATTON

Es imposible motivar a quien no te escucha.

Si lo que estás diciéndoles a otras personas está fuera de su marco sicológico, no importa qué tan correcto sea lo que les estés diciendo, no te están escuchando. La gente tiene que escucharte para que logres impactarles.

Sin embargo, para que alguien te escuche, *primero debes escucharle*, de lo contrario, no funciona porque la comunicación no fluye cuando tú vas siempre de primero. Tu empleado debe apreciar en primera instancia que tú estás sintonizado con él y que le entiendes por completo.

Warren Bennis, gurú en liderazgo, opina:

"La primera regla en cualquier clase de entrenamiento hace énfasis en que el entrenador necesita escuchar con profunda atención. Esto significa que debe sintonizarse con el contexto dentro del cual "su interlocutor" está razonando —debe estar alineado con respecto a la situación o circunstancia de donde procede "el otro". En pocas palabras, es muy factible que la base del liderazgo sea la capacidad del líder para cambiar la forma de pensar, el marco mental del otro. Esta no es tarea fácil ya que es obvio que la mayoría de nosotros piensa que se ha sintonizado con su interlocutor, pero en realidad lo que suele ocurrir es que nos concentramos principalmente en nosotros mismos.

Estábamos trabajando con Jerry, un gerente ejecutivo que afrontaba en ese tiempo ciertas dificultades con el Departamento de Contaduría de su empresa, conformado por cuatro mujeres. Ellas no le prestaban atención ni confiaban en él, y además le refutaban cada vez que él les hacía evidentes cualquiera de sus fallas.

Jerry ya estaba a punto de rendirse y por eso decidió que antes de hacerlo, nos pediría asesoría:

—"Reúnete con cada una de ellas por separado", le aconsejamos.

— "¿Y qué digo?".

— "Nada, solo escucha".

—"Escuchar, ¿qué?".

—"A la persona con quien estás reunido".

—"¿Y cuál sería mi agenda?".

—"No tienes agenda".

—"¿Qué le pregunto?".

—"¿Cómo va tu vida? ¿Cómo te ha ido en esta empresa? ¿Qué cambiarías, si tuvieras la oportunidad?".

—"¿Y luego, qué más?".

—"Luego, solo escucha".

—"No sé si pueda hacerlo".

La fuente de la poca ética de su equipo de contadoras estaba siendo identificada. El resto era cuestión de Jerry.

4. Sé tú la causa, no el efecto

La gente superficial cree en la suerte.
Los fuertes y sabios creen en la causa y el efecto.
—RALPH WALDO EMERSON

Un excelente motivador pregunta: "¿Qué queremos causar hoy? ¿Qué deseamos que ocurra?".

Esas son las mejores preguntas en cuanto a liderazgo. Los líderes que tienen dificultades al liderar a otros, sencillamente tiene dificultades en responder a esas dos preguntas porque siempre están pensando en lo que les ocurre a *ellos*, y no se enfocan en pensar en lo que ellos quieren causar, lograr que ocurra.

Cuando tus subalternos te vean como la *causa*, en lugar del *efecto*, no será difícil enseñarles a pensar de igual forma. Pronto te hallarás causándoles que actúen más allá de sus expectativas personales.

Tú puedes hacer que eso ocurra.

5. Deja de criticar a los altos mandos

Hay dos males para el corazón —correr cuesta arriba
y ver gente ir cuesta abajo.
—BERNARD GIMBEL

Distanciarte de tus superiores suele ser una enorme tentación.

A lo mejor lo haces para ganar favores y crear lazos a nivel de víctima con el resto de tu equipo, pero no te funcionará. De hecho, esta actitud dañará en algún momento la confianza que el resto del equipo tenga en ti. Además estarías aportando tres mensajes muy perjudiciales para la ética y la motivación del grupo:

1. Esta organización no es confiable.

2. Los jefes están en contra nuestra.

3. Para ser sincero, nuestro jefe inmediato es débil y no tiene poder dentro de la organización.

Así termina por crearse una especie de lazo definitivo e incómodo que suele ocasionar serios problemas de desconfianza, además de irrespeto para la integridad de la organización. Es posible arruinar mediante tácticas encubiertas la alta gerencia (por ejemplo mediante muecas de disgusto al escuchar el nombre de algún gerente ejecutivo). También se logra con conductas explícitas ("Yo no sé por qué estamos haciendo esto, nadie consulta conmigo acerca de las determinaciones empresariales, seguro porque ellos saben que yo no estaría de acuerdo."). Este error se profundiza con la repetición constante del término *"ellos".* (*"Ellos* quieren comenzar a..." *"Ellos* no entienden lo que ustedes muchachos están afrontando aquí..." *"Ellos, ellos, ellos..."*).

Ellos, utilizado en exceso, termina por desvirtuarse y dar la impresión de que estamos aislados y que somos víctimas incomprendidas.

Un verdadero líder tiene el valor de representar un cargo alto, sin demeritarlo. Un líder serio, habla de *nosotros.*

6. Enfócate en un asunto a la vez

Administrar es hacer correctamente todo.
Liderar es hacer todo lo correcto.
—PETER DRUCKER

No tengo cómo inspirar a otros, si no estoy haciendo lo indicado. Para mantenerme enfocado y tranquilo es importante no estar intimidado, distraído ni disperso. Tampoco debo ir de aquí para allá pensando que tengo demasiado por hacer, porque no es así. La verdad es que hay *un solo asunto por atender,* y es aquel que elegí hacer correctamente y en determinado momento.

Si me ocupo de él como si se tratara de lo único en que debo pensar, el asunto en cuestión quedará muy bien atendido y mi relación con todos los que están involucrados en él será mejor, más relajada y llena de confianza que antes.

Un cuidadoso análisis que hice acerca de mis actividades de la semana pasada me mostró que me ocupé de muchos asuntos, uno a la vez. De hecho, incluso durante mi tiempo más ocupado, solo fui capaz de prestarle atención a una sola cosa, sin importar cuánto me estresé, no solo a mí mismo sino a los demás, al estar pensando siempre en hacer siete cosas a la vez. Cuando hablaba con alguien, lo único en lo que pensaba era en las otras siete personas con las que también necesitaba hablar. Eventualmente, todas esas siete personas sintieron mi estrés y falta de atención, al igual que la ausencia absoluta de amabilidad de mi parte. Hacer más de una cosa a la vez genera temor, adrenalina y ansiedad en el sistema humano, por eso la gente le huye a esa experiencia y prefiere mantenerse al margen.

La mente admite un solo pensamiento central y nada más. La causa más frecuente de sentirse atiborrado y sobrecargado es no saber que la mente funciona con un pensamiento a la vez.

La mayor fuente de estrés en el lugar de trabajo es el intento de la mente por desarrollar múltiples ideas, muchas tareas, varios escenarios futuros, tener distintos cuidados, infinidad de preocupaciones, todo al mismo tiempo. La mente no está diseñada para hacer todo eso, ninguna mente puede, ni siquiera la de Einstein.

Yo necesito elegir de entre la lista de actividades que debo realizar, una específica, y luego debo concentrarme en ella, como si fuera la única. Si se trata de una llamada telefónica, entonces debo relajarme y procurar estar en el estado de ánimo más adecuado para que la llamada sea una buena experiencia, y que tanto quien la reciba, como yo, logremos juntos nuestro objetivo, una vez la conversación telefónica finalice.

Hablamos con Jason, un gerente de ventas a nivel nacional que acababa de finalizar una conferencia telefónica brutalmente larga con su equipo. Se pasó toda la conferencia urgiendo a punta de nerviosismo para hacer que logren subir las cifras, y a su vez advertirles que parecía que las metas no se iban a cumplir porque sus propios superiores acababan de llamarlo *a él* para cuestionarlo sobre el bajo rendimiento de todos.

Aunque Jason había estado trabajando doce horas diarias, sentía que fallaba en todo. Aparte de eso, la ansiedad de sus superiores también lo afectaba. Y como su mente estaba cansada y desorganizada, él entró en pánico y se desquitó con su equipo.

Eso no es motivación. La verdadera motivación requiere de un líder centrado y calmado que esté enfocado en un asunto, y solo en ese.

7. Brinda retroalimentación

La falta de retroalimentación acertada y a tiempo es la crueldad más extrema que se le impone a cualquier ser humano.
—CHARLES COONRADT, CONSULTOR ADMINISTRATIVO

Los seres humanos claman por retroalimentación. Trata de ignorar a un chiquillo de tres años de edad y verás cómo al principio buscará atención de manera positiva, pero si lo ignoras con frecuencia, pronto escucharás un fuerte llanto porque *cualquier retroalimentación, incluso negativa, es mejor que ninguna.*

Algunos piensan que este principio aplica nada más a los niños, pero lo cierto es que aplica aún más a los adultos. La forma más cruel de castigo en una prisión es el confinamiento. La mayoría de prisioneros haría cualquier cosa —hasta mejorar temporalmente su conducta— con tal de evitar verse en una situación de mínima o ninguna retroalimentación.

A lo mejor hayas experimentado de manera breve el agradable efecto de una cámara de relajación, oscura y encapsulada, en la cual te meten por algunos minutos, flotando en medio de una temperatura perfecta, con toda clase de sonidos y luz aislados. Es una maravillosa sensación por algunos minutos, pero no por mucho tiempo.

Cierto día, el trabajador de uno de esos lugares abandonó su puesto debido a alguna injusticia, dejando a un cliente atrapado entre una de esas cámaras. Horas después, el cliente fue rescatado y tuvo que ser hospitalizado, no por ningún daño físico, sino por la psicosis causada porque a sus sentidos les hizo falta alguna clase de contacto externo. Lo que ocurre cuando se corta toda esa clase de contacto es que la mente se recrea propiciando algún tipo de contacto externo por medio de alucinaciones, que por lo general representan los peores temores que existen en cada persona. Las pesadillas y terror que resultan de esa experiencia pueden llegar a causar, incluso en alguien muy normal, un mayor o menor grado de desequilibrio.

Los miembros de tu equipo no son diferentes. Si les cortas la retroalimentación, su mente elaborará su propia retroalimentación, con frecuencia, basada en sus temores individuales. No es casual el hecho de que la confianza y la comunicación sean los dos problemas organizacionales que más se mencionan al aplicar encuestas entre los trabajadores.

Los seres humanos clamamos por una retroalimentación verdadera, y no tan solo por unas cuantas palabras pacificadoras y protocolarias. Los líderes que tienen los mayores problemas para motivar a su equipo de trabajo son aquellos que le dan menos retroalimentación a su personal. Son este tipo de líderes que cuando sus subalternos les preguntan: "¿Cómo voy?", les contestan: "Bueno, no sé, no he chequeado tus resultados ni he hecho una evaluación todavía, pero presiento que nos está yendo muy bien este mes".

Líderes como esos tienen muchas dificultades al intentar motivar a su equipo para que logre sus metas, ya que se requiere de una continua retroalimentación. Y si tú quieres obtener lo mejor de tu gente, es imperativo que seas tú quien conozca lo que se necesita para lograr todas las metas y sepas dirigirlos hacia ellas. Los motivadores que se destacan, hacen su tarea, ellos saben cómo está el marcador y se mantienen informándoselo a su equipo.

8. Retroaliméntate de tu equipo

No solo utilizo todo el cerebro que tengo,
sino todo el que me prestan.
—WOODROW WILSON

Los grandes líderes se interesan en obtener opiniones creativas sobre todos sus reportes. Esta práctica, no solo es provechosa para el negocio, sino que sirve de gran motivación para las partes que intervienen en él.

Un líder sabio les pregunta a los miembros de su organización, por ejemplo: "¿Cómo hacemos para dar una respuesta satisfactoria durante una llamada telefónica cuando un cliente quiere hacer una pregunta, y que en ese momento nuestra actitud sea tan distinta a la de otras compañías, que haga que este cliente se sienta mejor atendido y como en casa, y por tal razón decida negocios con nosotros? ¿Cómo creamos una relación justo en ese momento en que ocurre la llamada? ¿Qué piensan ustedes acerca de esto?".

La calidad de nuestra habilidad motivacional está directamente relacionada con la calidad de nuestras preguntas.

Un líder frustrado, cuyas metas son mediocres, hace preguntas como las siguientes, en lugar de las que acaba de hacer nuestro líder sabio:

"¿Cómo les va? ¿Qué hacen? ¿Qué tal el fin de semana? ¿Cómo va tu sección hoy? ¿Hasta el cuello? ¿Atiborrados, como siempre? ¿Sobreaguando? ¡Resistan! ¿Los clientes están causándoles problemas con esa nueva propaganda en la prensa? ¡Desgraciados! Pasaba para ver cómo iban. No se preocupen mucho, ustedes son mis favoritos y no voy a causarles dificultades. Ya saben lo que tienen que hacer. ¡Resistan!".

Ese es un líder que no sabe por qué las metas de su equipo están bajas. Su calidad de vida está directamente afectada por la calidad mediocre de sus preguntas. Un líder sabio hará preguntas que conlleven a formas de venta eficaces.

Preguntas como: "¿De qué forma logramos que la experiencia de comprar en nuestra compañía sea fundamentalmente distinta, a nivel personal, a la de comprarle a la competencia? ¿Cómo hacemos para que nuestro personal sea amigable con nuestros clientes y que ese hecho haga que ellos quieran quedarse y comprar más de nuestros productos? ¿Cómo podríamos recompensar a nuestro equipo cuando sus miembros recuerdan el nombre de un cliente? ¿De qué maneras inspiraríamos a nuestro equipo para que se sienta motivado a incrementar el valor de cada venta? ¿Estamos poniendo en práctica la premisa de 'Clientes para toda la vida'? ¿Nos tomamos el tiempo para mostrarles las cifras y explicarles lo que eso implica? ¿Cómo hacemos para que todos los miembros del equipo utilicen estos conocimientos día tras día? ¿Cómo involucramos al equipo en el éxito de la empresa? ¿Qué piensan ustedes?". Un líder sabio construirá una larga cadena de éxitos, si se dedica a implementar ideas como esas.

9. Promueve cambios

Toda organización debe estar preparada para abandonar en el futuro aquello que está haciendo para sobrevivir actualmente.
—PETER DRUCKER

Mi función como líder es siempre mantener a mi gente motivada, optimista y preparada para querer darlo todo ante la certeza de algún cambio. Ese es mi trabajo. La mayoría de los líderes no lo ve así, para ellos su función es la de convertirse en niñeros, solucionadores de conflictos y apagadores de incendios. Y así es como producen bebés, problemas e incendios a su alrededor.

Es importante saber la reacción sicológica que se requiere cambiar en tus empleados, y cómo ésta hace parte de un ciclo predecible.

Tus empleados pasan por estas cuatro etapas del ciclo de un cambio y es bueno saber cómo manejar ese proceso:

El ciclo del cambio

1. Objeción: "Esto no es bueno".

2. Poca buena voluntad: "En realidad no quiero enfrentar este cambio".

3. Exploración: "¿Cómo hago para lograr que este cambio funcione en mi vida?".

4. Aceptación: "Ya sé cómo hacer funcionar este cambio en beneficio propio y en el de los demás".

A veces los miembros de tu equipo necesitan de un largo tiempo para atravesar las tres primeras etapas de este ciclo. La productividad y la ética se afectan en la misma medida en que ellos se resistan al cambio, pero es una actitud propia de la naturaleza humana resistirse a nuevas circunstancias. Todos tendemos a reaccionar así.

Si yo soy un muy buen líder, necesito entender a cabalidad las etapas de este ciclo para ayudar a mi equipo a atravesarlas hasta llegar a la aceptación, tan rápido como sea humanamente posible. Quiero la aceptación profunda de su parte, de la mía y de la empresa.

Así que ¿cómo les ayudo a avanzar a lo largo de las etapas una, dos y tres? Primero que todo, me preparo para dar a conocer el cambio con el mayor entusiasmo y positivismo posibles. Y cuando digo que me preparo, eso es exactamente lo que hago. Como han dicho grandes líderes: *"Necesitamos tener voluntad para ganar".* Yo me preparo, me armo, quiero educarme e informarme acerca del cambio, de esta manera hablaré genuinamente entusiasmado a favor de aquello innovador que plantearé.

La mayoría de los líderes no piensa así. Ellos se dan cuenta de que su personal se está resistiendo al cambio, esperan esa reacción y hasta la entienden. Luego, le dan cabida a la reacción del cambio y se disculpan por los inconvenientes que este pueda causar. Están de acuerdo con que no debería haber ocurrido:

"Esto no debería haber pasado. Lo siento. Entiendo lo que están atravesando y encima de eso, también este cambio".

Cada cambio que se hace debe mejorar la viabilidad o la efectividad de la empresa. Esos son los argumentos que yo quiero venderles a mis trabajadores porque necesito que vean de qué se van a beneficiar también *ellos*. Requiero que se den cuenta en verdad por sí mismos del hecho de que una compañía más accesible a los cambios, es un lugar más seguro en el cual trabajar.

¿Cómo se ve el cambio desde afuera? ¿Las regulaciones, los cambios de mercado, los problemas que genera en el comercio? En esos casos es sabio hacerle saber a mi gente que la competencia también está enfrentando ese mismo cambio. Si aquí llueve, por allá no escampa. Aquí es donde es crucial destacar la superioridad de la estrategia de nuestro equipo en situaciones como esa, de manera tal que el cambio se convierta en un punto a nuestro favor.

Además me ocupo de mantener vivo el cambio dentro del equipo, vendiéndoselo como un hábito positivo. Sí, cambiamos todo el tiempo, incluso antes de lo que necesitamos.

10. Identifica a quienes son dueños de sí mismos y a quienes tienen mentalidad de víctima

Aquellos que siguen la mejor parte de sí mismos, serán grandes. Y quienes siguen lo más pequeño de sí mismos, serán pequeños.
—MENCIO

La gente a la cual motivas tiende a dividirse en dos categorías: los dueños de sí mismos y las víctimas.

Esta distinción proviene del libro de Steve Chandler, *Reinventing Yourself*, el cual revela en detalle cómo los *dueños de sí mismos* son gente que toma total responsabilidad por su felicidad, mientras que las *víctimas* siempre están perdidas en sus infortunadas historias. Las víctimas culpan a los demás, a las circunstancias, y además son personas muy difíciles de sobrellevar. Quienes son dueños de sí mismos tienen su propia ética y responden a las circunstancias, según sus criterios.

Durante un seminario, Marcos, el gerente ejecutivo de una empresa, se acercó a Steve en el momento del descanso y le dijo:

—"Tengo muchas personas con mentalidad de víctima trabajando para mí".

—"Es parte de nuestra cultura", le respondió Steve.

—"Sí, yo sé, pero ¿qué debo hacer para lograr que reconozcan su tendencia de víctimas?".

—"Intenta algo distinto, por ejemplo, manifiéstales tu alegría cuando ellos *no* se comportan como víctimas, destaca los beneficios de la conducta de quien se proyecta como dueño de sí mismo, muéstrales lo que ocurre cuando actúan proactivamente y con responsabilidad propia".

—"Bueno. Pero ¿cuáles son las mejores técnicas para utilizar con cada persona? Mejor dicho, también tengo dueños de sí mismos. ¿Los trato distinto?", dijo Marcos.

—"Con ellos no necesitas técnicas, solo valóralos, te será fácil. Con las víctimas, ten paciencia. Escucha sus sentimientos de manera empática. Es posible hacerlo sin necesidad de estar de acuerdo con sus puntos de vista de víctima. Muéstrales el otro modo de ver las cosas, sé tú el ejemplo y así lograrás que vean con sus propios ojos que de esa manera se obtienen mejores resultados".

— ¿"Podrías venir y darles un seminario respecto al tema de ser dueños de sí mismos?", preguntó Marcos.

—"Incluso si quisieras entrenarlos para que sean dueños de sí mismos, tú tendrías que liderarlos a diario, de lo contrario se perdería el efecto del seminario. Busca tus propias estrategias para llevarlos hacia allá. Diseña formas que incorporen tu personalidad y estilo en tu propósito de ayudarles. No hay una fórmula mágica, solo existe el compromiso de lograrlo. La gente que está comprometida con tener un equipo de personas responsables de sí mismas, creativas, animadas, conseguirá exactamente eso. Los tres pasos básicos que necesitas dar son: 1) Premiar ese tipo de conducta dondequiera que la veas. 2) Mostrar con tu ejemplo cómo es ser dueño de uno mismo. 3) Tomar total responsabilidad de la ética y desempeño de tu personal".

Marcos parecía preocupado. Se notaba a leguas que todavía no estaba muy convencido de todo lo que oía.

—"¿Qué te preocupa?", le preguntó Steve.

—"No te vayas a ofender".

—"Claro que no".

—"¿Cómo convierto a una víctima sin tener que ser ese "pensador positivo" fastidioso?".

—"No tienes que serlo para ejercer un liderazgo sabio. Sé realista, honesto y alegre. Enfócate en las oportunidades y en las posibilidades, en el lado realista y cierto de cada situación. No hables mal ni ruedes chismes de los demás. No existe un truco específico que funcione siempre, pero en nuestra experiencia, cuando eres un ejemplo realmente fuerte de ser dueño de ti mismo, y eres consciente de ello, lo celebras y lo notas en otros (especialmente en reuniones en donde las personas con mentalidad de víctima te están escuchando), se vuelve cada vez más difícil jugar a las víctimas. Recuerda que ser víctima es en esencia una patraña, una forma de manipulación. No tienes por qué pretender que esa es una actitud intelectualmente válida, porque no lo es".

—"Bueno, entiendo. Parece viable", dijo Marcos. "Sin embargo, hay un empleado nuevo en quien estoy pensando. Le fue muy bien durante los primeros meses, pero ahora se le ve muy perdido y se siente traicionado. Esa es su conducta típica, en todo caso. ¿Cómo lo insto a tener una actitud de dueño de sí mismo?".

—"En realidad no puedes "instalarlo". No, directamente. El ser dueño de sí mismo es una característica que está en la naturaleza de cada cual y que cada persona fortalece. Pero trata de animarlo y felicitarlo cuando proceda así. Incluso piensa hasta en premiarlo y celebrarlo. Si haces todo eso, tu subalterno florecerá como una flor en tu jardín. Tú no la haces crecer, pero si haces ciertas cosas, florecerá".

11. Lidera con tu ejemplo

No es posible cambiar a los demás.
Tú debes ser ese cambio que deseas ver en otros.
—GANDHI

No existe nada tan motivante como liderar con el ejemplo.

Y es motivante para quienes te rodean ver que tú das ejemplo. Te conviertes en motivo de inspiración cuando eres tú quien hace lo que quieres que los demás hagan. Así que sé inspirador. Tu equipo prefiere sentirse inspirado que tener que ser corregido o reformado. Por eso ser de inspiración es mejor que cualquier otra estrategia.

Como práctica motivacional, liderar con el ejemplo enseña mucho más, y el resultado es más duradero que con cualquier otra práctica. Produce cambios más profundos en los demás, y de manera más completa que ningún otro ejemplo que puedas dar.

Entonces *sé* aquello que quieres ver.

Si quieres que tu equipo sea más positivo, sé tú más positivo. Si quieres que ellos tomen mayor responsabilidad en su trabajo, tómala tú también, muéstrales cómo se hace. ¿Quieres que luzcan bien y vistan como profesionales? Entonces tú necesitas lucir así. ¿Quieres que lleguen a la hora indicada? Llega tú temprano (y explícales porqué —diles lo que la puntualidad significa *para ti*).

Y como solía decir el General George Patton: "Existen tres principios de liderazgo: 1) el ejemplo, 2) el ejemplo, y 3) el ejemplo".

12. Da a conocer el poder del pensamiento

Los grandes hombres son aquellos que ven que
el pensamiento es más fuerte que la fuerza física,
que comprenden que los pensamientos gobiernan el mundo.
—Ralph Waldo Emerson

La consultora en el área de Negocios, entrenadora de vida y física intuitiva, JacQuaeline, nos contó esta historia la semana pasada acerca de un mecánico en una escuela, quien se quejaba de tener que timbrar tarjeta y hacer las mismas rutinas en su trabajo una y otra vez durante los pasados veinte años:

—"¡Me siento saturado y necesito un cambio!", declaró el mecánico.

—"Es posible", replicó JacQuaeline. "Pero a lo mejor deberías intentar amar aquello a lo que estás resistiendo, porque si no lo haces, es factible que también caigas en lo mismo en tu siguiente trabajo, en algún otro aspecto".

—"No estoy seguro de creer en eso, pero si así fuera, ¿por qué habría de ocurrir?", inquirió el mecánico.

—"Bueno, ¿cuál es el propósito de tu trabajo, distinto a apretar tuercas y tornillos cada día?".

—"Muy fácil", replicó el mecánico. "El mayor propósito de mi trabajo es salvar la vida de estos niños diariamente".

—"¡Sí, eso es genial!, susurró la entrenadora. "De aquí en adelante, cada mañana, cuando te enfoques en tu mayor propósito, salvar la vida de los niños, tendrás claro que tu trabajo y responsabilidad son tan importantes, que el hecho de marcar tarjeta habrá dejado de ser molesto".

Le había dado al mecánico una nueva forma de pensar. Lo había puesto en contacto con la fuerza del pensamiento para transformar su experiencia.

Asegúrate de que toda la gente a la que quieres motivar comprenda el papel que desempeña el *pensamiento* a lo largo de la vida. No hay nada más importante que tener esto en claro.

¿Por qué la lluvia deprime a ciertas personas y a otras les produce felicidad?

Si las cosas "te hacen" sentir algo, ¿por qué esta cosa llamada lluvia hace que una persona sienta algo y otra sienta diferente? ¿Por qué si las cosas se producen ciertos sentimientos, la lluvia no les hace sentir lo mismo a estas dos personas? Una de ellas podría decir: "Oh no, mal tiempo, ¡qué deprimente!". Por el contrario, la otra diría: "¡Oh, está cayendo una hermosa y refrescante lluvia!".

La lluvia no es la encargada de hacerle sentir a ninguna de estas dos personas. (Ninguna persona, lugar o cosa puede hacerte sentir algo). Es el *pensamiento acerca de la lluvia* el que causa esos sentimientos. A través de todas tus experiencias de liderazgo, enséñale a tu gente este concepto tan importante: el concepto de pensamiento.

Una persona piensa que la lluvia es hermosa. La otra opina que la lluvia es deprimente. Nada en este mundo tiene significado alguno hasta cuando se lo damos. Nada en el lugar de trabajo lo tiene. La gente a menudo *te observa* buscando significado según tu reacción, como si la pregunta silenciosa fuera: ¿Qué significa realmente esto?

¿Te das cuenta de la oportunidad que tienes frente a ti?

Podemos hacer que las cosas tengan el significado que queramos que tengan, con algún propósito. ¿Por qué no utilizar ese poder?

La gente no hace que tus empleados se sientan furiosos, sus propios pensamientos son los que los hacen sentirse así. Ellos no podrían estar furiosos a menos que tuvieran los pensamientos que les hicieran sentirse de esa manera.

Si tu jefe se gana la lotería en la mañana, ¿quién va a lograr que se enoje ese día? Nadie. No importa lo que le digan, no le va a importar, no va a preocuparse de nada. Así mismo ocurre con tus empleados. Ellos van a sentirse furiosos con alguien solamente si *piensan* en esa persona, en lo que los está molestando, les está diciendo, así como en la amenaza que esa actitud constituye para su felicidad. Pero si no pensaran en eso, ¿cómo se enfurecerían?

Tu personal es libre de pensar en lo que cada uno de ellos quiera, ya que tienen libertad absoluta de pensamiento.

El mayor coeficiente intelectual alguna vez alcanzado en un ser humano correspondió a Marilyn vos Savant, hace muchos años. Alguien le preguntó en una ocasión a Marilyn cuál era la relación entre sentir y pensar, a lo cual ella contestó: "Sentir es lo que obtienes de pensar de la manera en que lo haces".

Marco Aurelio escribió en el año 150 a. C.: "El alma se tiñe del color de tus pensamientos".

La gente se siente motivada solo cuando tiene pensamientos motivantes, es decir que el pensamiento gobierna, no las circunstancias. Cuanto mayor sea tu convicción al respecto, mejor será tu liderazgo.

13. Di la verdad de inmediato

Pregunta: ¿Cuántas patas tiene un perro si le llamas pata a su cola? Respuesta: Cuatro. Llamar pata a la cola no la convierte en pata.
—ABRAHAM LINCOLN

Los grandes líderes siempre comparten un hábito en común: dicen la verdad más rápido de lo que otros administrativos lo hacen.

Steve recuerda su trabajo ayudando gerentes a motivar su Departamento de Ventas. Pero esto no aplica solo a vendedores, sino a la gente en general.

Siempre me parecía que la gente me contaba sobre sus limitaciones y yo escuchaba con paciencia para luego tratar de sacarlos de sus encrucijadas, pero ellos intentaban con frecuencia volver a explicarme cuáles eran en realidad sus limitaciones. Esa suele ser una obsesión.

Un día estaba en una reunión de trabajo uno a uno con uno de mis clientes, quien trabajaba como vendedor, hasta que finalmente exploté (creo que estaba cansado, molesto, o estaba teniendo uno de esos días estresantes) y le dije: "Me estás mintiendo".

—"¿Qué?", me dijo.

—"Me estás mintiendo. No me digas que no hay nada que puedas hacer porque hay *mucho* que sí estás en condiciones de hacer. Así que trabajemos con la verdad, porque si somos sinceros y no nos mentimos entre sí, vamos a lograr tu éxito más rápido que si continuamos de esta forma, enfocándonos siempre en tus propias decepciones".

Ante esto, mi cliente estaba asombrado y se quedó mirándome por un largo rato. Decirle a otra persona que está mintiendo no es la mejor manera de construir una relación. No lo recuerdo con exactitud, pero creo que si yo no hubiera estado tan cansado, no habría actuado así. Sin embargo, lo increíble de todo fue que de un momento a otro ¡mi cliente comenzó a sonreír!

—Se reclinó en su silla y dijo: "¿Sabe qué? Tiene razón".

—Yo le dije: "¿Qué?".

—Él me respondió: "Yo le dije: '¿Sabe qué? Tiene razón'. Esa, para nada es la verdad, ¿o sí?".

— "¡Para nada!".

— "Usted tiene razón. Hay muchas cosas que puedo hacer".

— "Sí, así es".

Esta es la mayor mentira que escuchas en el mundo de los negocios, y especialmente en ventas: "No hay nada que yo pueda hacer". Esa es la mentira que expresa que "soy desvalido y débil". La verdad es que siempre hay algo que puedes hacer, solo tienes que escoger la manera más eficiente y creativa para hacerlo. Como escribió Shakespeare: "Actuar es ser elocuente".

Una forma en que una vendedora que conozco comienza su día es actuando preguntándose: "Si yo fuera mi entrenadora, ¿qué me aconsejaría que hiciera en este mismo momento? ¿Qué acción beneficiosa y creativa debería emprender para que mi cliente se sintiera agradecido? ¿Qué acción me reportaría las mejores ganancias?".

Otra cura rápida para el sentimiento de que "no hay nada por hacer", es preguntarte: "Si yo fuera mi cliente, o mi prospecto de cliente, ¿qué me gustaría que yo hiciera?".

El profesional experto en ventas, y cualquiera que lidera a su equipo en su área de desempeño, y que prospera en su profesión, es bueno dando. Esta clase de persona permanece en contacto con su capacidad para hacer cuanto está a su alcance para darles constantemente a sus clientes beneficios externos e internos —información valiosa, ofrecimiento de servicios, respeto por su tiempo, consejos para tener éxito, apoyo y reuniones amistosas, reconocimiento por sus logros, todo en el aspecto interno—. Da, da y da, todo el tiempo, siempre poniendo como prioritarios los deseos y las necesidades de sus clientes. Siempre hace las mejores preguntas y escucha mejor de lo que nadie podría escuchar. A medida que ese compromiso crece y se expande, y esa clase de atención es prodigada a los clientes a través de comunicación constante, el profesional de las ventas se convierte en un experto de talla mundial en lo relacionado con la sicología del cliente y la conducta del comprador. Y además se da cuenta que el alto nivel de experiencia solo se adquiere mediante un beneficio basado en una interacción ¡como la que acabo de describir!

Comienza una nueva semana y en la mente de esta clase de profesional surge este pensamiento: "Hay *tantas* cosas tan interesantes que puedo hacer, que no hallo el momento de empezar".

14. No confundas estresado con interesado

El estrés, fuera de tener su razón de ser en sí mismo, y de ser
el resultado de sí mismo, también es la causa de sí mismo.
—HANS SELYE, SICÓLOGO

Muchos profesionales en el área administrativa tratan la estrategia de la doble negación como una manera de motivar a los demás. Primero, de forma intencional, se molestan consigo mismos ante la posibilidad de *no* alcanzar sus metas, y segundo, utilizan su frustración como un instrumento negativo para querer animar a su equipo.

Eso no funciona.

Estresar a tu personal con las metas por cumplir no es lo mismo que estar interesado en ayudarles a cumplirlas. Esa no es una estrategia de motivación útil. Ninguna persona que se encuentre tensa o estresada cuando está desarrollando alguna actividad, la culmina con éxito. Ningún líder lo logra, ya sea que se trate de vendedores, atletas, recolectores de fondos, jugadores de fútbol o padres de familia.

Alguien en esas condiciones solo tiene acceso a un pequeño porcentaje de sus habilidades e inteligencia. Si tu equipo favorito está jugando, ¿quisieras que un jugador estresado fuera quien lanzara la bola en los últimos momentos del juego? ¿No preferirías ver a un jugador calmado y confiado enfrentarse a ese reto?

Hay quienes se estresan a sí mismos para mostrar (o actuar) que están "realmente interesados" en alcanzar un propósito. Pero eso no es interesarse, es estresarse, lo cual hace que el desempeño sea peor. El verdadero interés hace que uno quiera desempeñarse mejor. Por eso es vital para un líder conocer esa diferencia. Las dos actitudes no podrían ser más distintas.

Interesarse es tranquilizarse, enfocarse y hacer uso de todos tus recursos, de toda esa relajación mágica, de esa dinamita apacible que estás en condiciones de usar cuando le prestas total atención al asunto, con una mente relajada. Nadie se desempeña mejor, que cuando está tranquilo y enfocado.

"El estrés es básicamente una desconexión del planeta", dice la gran maestra creativa Natalie Goldberg. "Es olvidarse hasta de la respiración. El estrés es un estado de ignorancia porque es creer que todo es una emergencia. Sin embargo, nada es así de importante. Así que tranquilízate".

No hay necesidad de estrés, es cuestión de enfocarte y permanecer enfocado. Nada a lo que le prestes atención se sale de tus manos, pero no se la prestes a casos perdidos, sino a lo que quieras que te dé grandes resultados: tus clientes, las finanzas, lo que sea que te interesa. De una manera relajada y alegre, procura estar lleno de paz y sé fuerte. Triunfarás.

15. Necesitas sobreponerte incluso a tus superiores

No existe lo que llamamos críticas constructivas.
—DALE CARNEGIE

Jean era administradora en un enorme sistema hospitalario con el cual trabajábamos. Ella agradecía el trabajo de entrenamiento que estábamos haciendo, pero tenía una pregunta importante acerca de su propio liderazgo.

—"Hemos tenido muchos jefes a quienes reportarnos, pero parece que cuando ya estamos ajustándonos a cierto jefe, el hospital contrata a alguien nuevo", comentó Jean.

—"¿Cuál es exactamente el problema con eso?", le preguntamos.

—"Bueno, con tantos cambios de liderazgo a lo largo de los años, ¿cómo desarrollamos confianza en el proceso?".

—"Confiando en el proceso. Confiar no es lo mismo que verificar. La confianza requiere de riesgos, y no es ni bueno ni malo que el liderazgo cambie. La cuestión es si puedes enseñarte a ti misma a vivir y trabajar en medio del cambio. No se trata de ver qué tanto ha cambiado la situación, sino más bien de lo siguiente: ¿Qué vas a hacer tú para capitalizar los cambios?".

—"¿Qué pasa si no nos gusta el liderazgo actual?".

—"¿Qué no te gusta?".

—"¡Recibimos mensajes confusos de parte de ellos! ¿Y cómo puedes pedirnos que nos apropiemos de nuestro liderazgo cuando recibimos mensajes confusos de parte de los altos mandos?".

—"Toda organización grande para la cual hemos trabajado se ha tenido que confrontar, en mayor o menor grado, con el tema de 'los mensajes confusos', los cuales ocurren porque en todos nosotros existe el factor humano, el cual hace que sea difícil coordinar a muchas personas creativas y energéticas y lograr que todas se presenten como si fueran un ente único".

—"De acuerdo", dijo Jean. "Pero es un reto".

—"Es un reto con el que debemos lidiar. Eso no significa que haya que utilizarlo como una fuente de desengaño o frustración. Es un reto. Con mucha frecuencia hemos visto "el mensaje confuso" hacerse más coherente y unificado cuando la solicitud de parte de los mandos medios se hace con benevolencia y creatividad".

—"¿Me estás diciendo que debería manejar mejor a mis jefes?", agregó Jean.

—"Exactamente".

—"¿Siendo la clave hacerlo de forma 'benevolente' y 'creativa'?".

—"Esa sería la clave".

16. No vivas para apagar fuegos

Los líderes sabios, y que alcanzan sus metas, han entendido que no deben pensar que van a eliminar todos los problemas... y tampoco querrían.
—DALE DAUTEN

¿Por qué algunos líderes son tan poco efectivos?

Porque son bomberos. Cuando te conviertes en bombero, dejas de liderar. Ya no decides hacia dónde se dirige tu equipo porque el fuego decide por ti. (El *fuego* es cualquier problema actual que haya aparecido y capturado tu tiempo e imaginación).

El fuego controla tu vida. Tú crees que estás controlándolo, pero la realidad es que el fuego te está controlando a ti. Te vuelves ciego ante las oportunidades y las posibilidades porque estás inmerso en el problema y limitado por el fuego.

Si tú eres un líder desmotivado, incluso cuando has apagado el fuego, vas a ir en busca del siguiente fuego. Pronto, *lo único que tienes a la vista, son fuegos*, y todo lo que sabes es cómo apagarlos. Incluso hasta cuando no hay un verdadero fuego, encuentras algo para redefinirlo como un fuego porque te volviste un bombero y siempre quieres hacer ese trabajo.

Un gran motivador no apaga fuegos las 24 horas del día durante los 7 días de la semana. Un verdadero motivador lidera a su gente y la lleva del presente al futuro. El único momento en que un fuego se vuelve relevante es cuando aparece en el camino a metas futuras. A veces el líder ni siquiera tiene que enfrentar el fuego, sino que simplemente consigue una ruta alterna para llegar a esa anhelada meta futura.

De otra parte, un bombero parará todo y apagará todo incendio. Esa es la diferencia básica entre un líder inconsciente (que deja que el fuego le diga lo que hay que hacer) y un líder consciente (que deja que las metas deseadas le marquen el camino a seguir).

17. Maneja el panorama

No es posible administrar gente... Los inventarios sí se deben administrar, pero las personas se deben liderar.
—H. ROSS PEROT

Esta es una pregunta frecuente: ¿No es la capacidad de liderazgo una cualidad con la que nacemos? ¿Nos referimos a *nacer líderes?*

Sí, pero eso es un mito. El liderazgo es una habilidad como la jardinería o jugar ajedrez, o jugar en el computador. Se puede aprender y enseñar a cualquier edad, siempre que exista el compromiso de aprenderlo. Las compañías convierten a sus gerentes en líderes.

Pero si las empresas pueden transformar a todos sus gerentes en líderes, ¿por qué no lo hacen?

Porque la mayoría de las veces no saben lo que es un líder. No leen libros sobre liderazgo, ni organizan seminarios para entrenar líderes, ni hacen reuniones durante las cuales se discuta o se den ideas acerca de liderazgo. Además, las empresas no logran definirlo, y es difícil promocionarlo o cultivarlo, si no sabes cómo definirlo.

El remedio para esto es siempre tener una idea completa de lo que es ser un gran líder. La gente no se siente motivada por personas que no tienen un concepto claro de lo que es un verdadero liderazgo, ¡que no pueden ni siquiera imaginarlo!

En su innovador y poderoso libro de liderazgo en los negocios, *The Laughing Warriors* (Lumina Media, 2003), Dale Dauten ofrece un concepto de líder que expresa lo siguiente:

"PIENSA COMO UN HÉROE (¿A quién voy a ayudar hoy?), TRABAJA COMO UN ARTISTA (¿Qué más puedo inventar?), NIÉGATE A LA COTIDIANIDAD (Ve tras la excelencia y cuando la encuentres, vuelve a empezar), y CELEBRA (Pero no te des crédito)".

Profundizando en todo lo anterior, llegarás a ser un gran líder.

18. Maneja los acuerdos, no a la gente

Aquellos que son más lentos para hacer una promesa,
son los más fervorosos para cumplirla.
—JEAN-JACQUES ROUSSEAU

"¿Hay alguien aquí que trabaje con gente que parece inmanejable?", preguntó Steve Chandler durante la apertura de uno de sus seminarios.

Los gerentes que llenaban el lugar asintieron y sonrieron en señal de acuerdo. Algunos dijeron sí con la mirada. Era evidente que habían tenido muchas experiencias tratando de manejar gente como esa.

— "¿Cómo lo haces?", preguntó uno de los gerentes. "¿Cómo manejas gente inmanejable?".

— "Yo no sé", le respondió Steve.

—"¿Qué significa eso de que no sabes? Vinimos aquí para averiguarlo", comentó alguien más en el recinto.

—"Nunca he visto que eso ocurra", explicó Steven. "Porque yo creo que, después de todo, la gente es bastante inmanejable. Nunca he visto que alguien tenga un equipo de gente manejable".

—"¿Entonces para qué hacer un seminario sobre el manejo de la gente, si no es posible lograrlo?".

—"Bueno, usted explíquemelo: ¿se puede lograr? ¿Realmente usted maneja gente? ¿Maneja a su esposa? ¿Puede hacerlo? Yo no creo".

—"Bueno, ¿entonces ya podemos dar por terminada esta reunión?".

—"No, es obvio que no. Quedémonos y aprendamos cómo los grandes líderes obtienes grandes resultados de su personal. Pero ellos lo hacen sin manejar a la gente, ya que básicamente no es posible manejarla".

—"Si no manejamos gente, ¿entonces qué hacemos?".

—"Manejemos acuerdos".

Los líderes cometen un error cuando tratan de manejar a su gente. Terminan tratando de apalear mercurio con una horqueta, manejando las emociones y las diversas personalidades de su equipo de trabajo. Luego tratan de ocuparse de sus miembros más molestos, no en aras de una mejor comunicación y entendimiento, sino para evitar desacuerdos y ser aceptados. Esto degenera en la pobre administración del tiempo y en mucha sicoterapia inefectiva e inexperta. Además anima a los empleados a ser inmaduros en su forma de comunicarse con sus superiores, casi a pretender ser adoptados por un supervisor, impidiendo así una relación de trabajo madura.

La primera responsabilidad de un líder es asegurarse de que la relación sea madura.

Un verdadero líder no corretea de un lado para otro haciendo las veces de sicoterapeuta inexperto tratando de manejar las emociones y la personalidad de su equipo a lo largo de la jornada laboral. Un líder es compasivo y siempre busca entender los sentimientos de los demás, pero no trata de manejar dichos sentimientos. En lugar de eso, un líder maneja acuerdos, los crea junto con los miembros del equipo y se compromete con ellos bajo la base de adulto a adulto. Toda comunicación se hace respetuosamente, sin caer en la tentación de ser intimidante, mandón ni sabiondo.

Una vez que los acuerdos se hacen bajo esa premisa de adulto a adulto, no hay por qué volver a pensar en manejar a la gente. Lo que se maneja es el acuerdo, ya que es más respetuoso y maduro hacerlo así, y las dos partes disfrutan de manera más abierta y confiada la comunicación. Además se genera la posibilidad de una rendición de cuentas mutua y se hace más fácil la discusión de temas incómodos.

Harry era un empleado que siempre llegaba tarde a las reuniones de trabajo. Muchos gerentes lo conocían y afrontaban el problema hablando a sus espaldas o tratando de intimidarlo mediante el sarcasmo, o inhabilitándolo al no contestarle sus llamadas, o haciendo las veces de su terapeuta. Pero Jill, uno de sus clientes, no lo hizo de ninguna de esas maneras.

Jill generó un acuerdo mutuo con Harry mediante el cual los dos estarían siempre a tiempo a sus reuniones. Ese fue el acuerdo y establecieron además que mantendrían su compromiso frente a todos sus acuerdos. Este es un proceso adulto que conlleva tanto a una comunicación abierta como a una mutua rendición de cuentas de manera relajada. Jill concluyó que cuando los adultos acuerdan mantener sus tratos mutuos, es posible generar una cultura empresarial de rendición de cuentas más abierta, lo cual a su vez desemboca en niveles más altos de responsabilidad individual y autorrespeto.

El mayor beneficio de manejar los acuerdos se da en el área de la comunicación porque la hace más honesta, abierta y completa. El compromiso de manejar los acuerdos es en esencia un compromiso de comportarse como dos adultos profesionales que trabajan en equipo, opuesto a la relación de "Yo soy tu papá/Yo soy tu mamá/ Tú eres el hijo/ el equivocado/ Estás en un error/ Estoy molesto contigo/ No estoy de acuerdo contigo pero sé que tienes tus razones pero aun así estoy molesto". Esa clase de enfoque no refleja el verdadero liderazgo ni la posición de administrador. Ni siquiera es una posición profesional, aunque ocho de cada diez líderes la adoptan, sino que se trata de una forma intuitiva —de estímulo-respuesta pero errada— de manejar a los demás mediante el modelo de la relación padre/hijo.

El problema con ese estilo de liderazgo es que la persona que está siendo liderada no se siente respetada, y entre las condiciones previas más importantes para desarrollar un buen desempeño, se encuentran la confianza y el respeto.

Supongamos que mi equipo de trabajo ha estado de acuerdo en llevar a cabo alguna meta, como por ejemplo ver un video, y luego tomar un cierto tipo de test vía internet, ¡pero no lo toman! ¿Qué significa que no lo hagan? ¿Qué demuestra acerca de ellos? ¿Qué dice acerca de mí?

Lo que significa es que la persona encargada de que el proyecto se realice es alguien con quien yo necesito fortalecer mi acuerdo, es alguien que hizo algo "mal" y con quien no tengo un acuerdo lo suficientemente fuerte.

Así que necesito sentarme con ese miembro encargado, o tener una muy buena conversación, así sea telefónica, para decirle: "Usted y yo necesitamos un acuerdo en cuanto a esto porque es algo que debe hacerse y quiero que se haga de la manera en que usted sea más efectivo y que no se le convierta en un tropiezo dentro de sus actividades diarias. Así que discutámoslo y permítame ayudarle para que lo pueda realizar. No es una opción, así que usted y yo debemos ponernos de acuerdo en cuanto a alguna forma de cooperación mutua para que lo que nos proponemos se lleve a cabo".

Luego necesito saber lo siguiente acerca de esa persona: "¿Está dispuesta a hacerlo? ¿Es algo a lo cual le pueda hacer seguimiento? ¿Es posible que se asegure de que su equipo cumpla? ¿Tiene algún método para realizarlo? ¿Necesita mi colaboración en algo?".

Y por último, al final de la conversación, he logrado que esa persona esté de acuerdo conmigo para realizar el proyecto.

Ahora, observa que este acuerdo es bilateral. Así que yo, como copartícipe del acuerdo, también me estoy comprometiendo con ciertos puntos.

Esa persona pudo haber dicho: "Lo que sucede es que no tenemos en qué ver este video, no hay una televisión o un monitor".

En ese caso yo hubiera tenido que decir: "Si les consigo el televisor o el monitor, ¿sería eso todo lo que necesitan?".

—"Sí, eso sería todo".

—"Bueno, pues cuenten con eso. El viernes se los tendré listo. ¿Cómo más los puedo ayudar?".

Un líder siempre está sirviendo, colaborando, y no tan solo haciendo énfasis en las normas. Un líder debe estar preguntando: "¿Qué ayuda necesitan? ¿De qué forma les ayudo y les soy útil para lograr sus metas?". El verdadero líder quiere una promesa absoluta y un desempeño máximo. Y luego de que las dos partes hemos logrado un acuerdo, yo pregunto con toda sinceridad: "¿Ahora sí cuento con usted para realizar esta meta con el 100% de cumplimiento? ¿Puedo confiar en usted?".

—"Sí, claro que puede contar conmigo".

Excelente, cerramos con un apretón de manos. Somos dos profesionales finalizando una reunión con el acuerdo logrado bajo el respeto mutuo, producto de una conversación adulta y profesional. Nadie fue obligado.

19. Enfócate en el resultado, no en la excusa

Un líder debe tener la capacidad de transformar una organización que carece de metas, de valor y visión... Alguien tiene que producir ese cambio.
—WARREN BENNIS

Si eres un líder en ventas, es probable que te hayas visto en la misma situación frustrante de Frank, cuando nos llamó desde San Francisco.

—"Creo que necesito ayuda en cuanto a la forma de decirle a mi equipo que se comprometa a lograr sus metas", dijo Frank. "Se los he dicho en todas las formas posibles y creo que estoy comenzando a sonar como un disco rayado. Ni siquiera sé por qué los estoy contactando a ustedes. Pensé que a lo mejor estuvieran aconsejando a sus clientes sobre algún nuevo libro que hable del tema, o que de pronto tendrían algunos consejos sabios para mí".

—"¿Cuál es específicamente su problema?".

—"¡La mitad de la gente que hace parte del equipo que manejo es totalmente improductiva!", me dijo. "Y me la paso diciéndoles... No es cuestión de magia... Es cuestión de buscar estrategias y hacer el trabajo".

—"Les he dicho: 'Todos, a trabajar, consigan referidos, hagan entre 60 y 75 llamadas telefónicas, visiten entre 8 y 10 clientes potenciales cada semana, y observen lo exitosos que pueden llegar a ser'".

—"¿Qué cree que esté haciendo falta?", le preguntamos. "¿Qué le hace falta a su visión? ¿Por qué no están ellos afuera consiguiendo lo que necesitan para cumplir sus metas de ventas?".

—"Por eso es que los contacté a ustedes. Si yo supiera *qué es lo que está haciendo falta*, no los habría llamado".

—"Porque no es solamente el hecho de hacer su trabajo lo que está haciendo falta en la ecuación de productividad que nos está presentando. Aunque siempre pensamos que se trata de eso, la pregunta es ¿qué es aquello que está haciendo falta allá en lo más profundo? Lo que parece estar faltando es el '*deseo* de lograrlo'".

—"Bueno, yo sé que todos ellos dicen que quieren lograrlo. Quieren ganarse las comisiones y tener éxito".

—"Ellos no quieren eso, de lo contrario lo conseguirían".

—"¿Así que ustedes creen que la gente consigue todo lo que quiere?".

—"Claro que sí".

—"¿De verdad? Yo no veo que eso ocurra".

—"En eso es en lo que consiste ser un ser humano. Todos sabemos cómo conseguir lo que queremos porque somos sistemas biológicos diseñados para eso".

Hablamos durante un largo rato porque había algo que queríamos que Frank viera: los miembros improductivos de su equipo estaban produciendo por debajo de sus capacidades porque *no querían* producir. Si eres un líder, debes saber reconocerlo y si eres alguien improductivo, también debes saberlo.

La gente improductiva no está en ventas para enfocar toda su atención en vender y triunfar. Si así fuera, sería productiva. Incluso si ellos dicen que están enfocados en los resultados, no lo están. Están en las ventas por algunas otras razones... A lo mejor porque necesitan el dinero, y además piensan con sinceridad que *deberían* estar ocupando ese cargo.

Pero *"deberían"* no es una razón lo suficientemente motivante ni intelectual, por el contrario, es más factible que conlleve al fracaso porque implica que este tipo de personas es todavía inmaduro y que está tratando de vivir de acuerdo con las expectativas de los demás. No hay convicción propia, ni enfoque, ni progreso.

Quienes están en ventas y hacen lo que creen que *deberían* hacer, suelen convertir a sus líderes en sus padres, de esta manera regresan a su niñez, se quejan y reniegan como niños. Incluso cuando intentas liderar sus actividades más ínfimas para mostrarles que una actividad A produce un resultado B (siempre), y que el resultado B conlleva al resultado C (siempre), aun así lo hacen medio convencidos y buscan en vano "otras formas de", con otros mentores y líderes.

Frank comenzó a ver está disfunción con mayor claridad, pero todavía no sabía qué hacer al respecto. Debía aprender a manejar el *"qué hacer"*, no el *"cómo hacerlo"*. Necesitaba un curso rápido sobre liderazgo en cuanto a resultados porque, como la mayoría de la gente, él estaba detenido en el mundo del liderazgo por procesos. El verdadero gusto del liderazgo surge solamente cuando estás obteniendo resultados.

—"¿Dime qué se supone que debe hacer un líder?", me preguntó después de darse cuenta que había entendido todo este asunto.

—"Una vez que hayas detectado la meta en ventas de un improductivo (plan, cuota, cifras) durante tu conversación con esta persona, necesitas hacer énfasis y cultivar los *por qué*: ¿Por qué quieres esto? ¿Qué lograrás con esa meta? ¿Qué más estás dispuesto a hacer para cumplirla? ¿Qué te permitirá alcanzar? Si te dijéramos que existen actividades que te ayudarán a lograrla, ¿las realizarías? Si no, ¿por qué no? ¿Me prometerías y te prometerías a ti mismo que realizarías dichas actividades hasta alcanzar lo que te propongas? ¿Por qué sí? ¿Por qué no?".

Si eres un líder como Frank, por favor no olvides tener presente que tienes gente que no quiere realmente lo que te está diciendo, y ni siquiera ellos mismos se dan cuenta. Ya sabes que si en verdad ellos quieren ser productivos, nada en el mundo los detendrá.

Déficit de intención es la expresión que utilizamos para definir la disfunción que consiste en ser improductivo. No es un déficit en cuanto a "cómo" hacer las cosas, ya que tanto la técnica como la forma de lograr las metas son destrezas que adquiere la gente que tiene la absoluta convicción de lograr lo que se propone para triunfar.

El verdadero truco a largo plazo en cuanto a liderazgo se refiere es contratar gente que quiera triunfar. Una vez que hayas logrado manejar ese arte, siempre triunfarás. Pero nos confiamos en el proceso de contratación y terminamos buscando y escuchando lo que no estamos buscando.

¿Por qué nos ocurre esto? ¿Por qué no advertimos esta falta de deseo de triunfo en el proceso de reclutamiento? La razón es esta: la gente que contratamos realmente tiene un "enorme interés" durante la etapa de conseguir el trabajo. En realidad quieren su trabajo. Sin embargo, ese es un deseo distinto al de querer triunfar en dicho trabajo. Esas son dos metas totalmente aparte. Así que no tenemos cuidado en el proceso de la entrevista, escuchamos a medias y confundimos su ardiente deseo *de conseguir el trabajo* con las ganas de *triunfar en él*. Son dos deseos por completo distintos.

Los mejores líderes que hayamos entrenado siempre se toman más tiempo y trabajo en su proceso de selección de personal, que el que emplearon la mayoría de sus colegas. Entonces, una vez eligieron gente ambiciosa, ellos basan sus metas en las metas de aquellos a quienes eligieron. Cuando los líderes en ventas aprenden a ligar la actividad de hacer llamadas en frío que hacen sus vendedores, con las metas personales de cada uno de ellos, esa clase de llamadas se convierten en actividades con mucho más significado. Estos líderes estaban invirtiendo sus días en producir resultados, no actividades. Su refuerzo positivo fue siempre en busca de resultados, no en busca de actividades.

20. Enfócate en los resultados

A menos que exista un compromiso, solo hay promesas
y esperanzas... Pero no planes.
—PETER DRUCKER

Toda persona improductiva que lideres se encuentra en alguna clase de conflicto porque quiere triunfar y lograr sus metas, pero sus actividades demuestran lo contrario. Ellas, en sí mismas, no pueden ver esa incoherencia, pero tú, el líder, la ves y te impacienta. Entonces les das esa charla en la cual terminas diciendo más o menos lo mismo: "Creo que yo tengo más interés que ustedes en lograr sus metas". Ellos, por su parte, se vuelven llorosos a la vez que insisten en que no tienes razón. Tú les haces toda clase de actos heroicos y pierdes tu tiempo en ellos, cuando podrías estar empleándolo mejor en tus vendedores productivos.

Recuerda siempre que el tiempo que inviertas ayudando a uno de tus productivos contribuye *más* a la producción de tu equipo, que el tiempo que inviertes en tus improductivos.

Algunos reportes que hemos visto muestran que los líderes invierten más del 70% de su tiempo intentando que los improductivos produzcan. Y la mayoría de los productivos, cuando renuncian porque encontraron otro trabajo, lo hacen porque no encontraron la suficiente atención de sus jefes. No sentían que la empresa los apreciara lo suficiente ni que crecerían lo suficientemente rápido en su cargo.

Si le ayudas a aprender a un productivo, que está vendiendo 10 tortas por semana, a venderlas a $15 dólares, lo has llevado al 150% de su nivel inicial, y hasta más, has agregado 5 tortas al total de resultados de tu equipo. Si hubieras empleado ese mismo tiempo con un improductivo y lo hubieras llevado hasta ese mismo 150%, lo hubieras llevado a aumentar de 2 a 3 tortas más. Hubieras agregado solo una torta (en lugar de 5) al total del equipo. La mayoría de líderes invierte gran parte de su tiempo con los improductivos... Agregando *una torta* al total de su equipo.

Los líderes necesitan simplificar, simplificar y simplificar. No necesitan hacer lo que normalmente hacen: complicarse, hacer multitud de tareas y... complicarse.

Simplifica tanto como te sea posible con tus improductivos, enfocándote en los resultados solamente. Invierte más y más de tu tiempo con los productivos que están buscando ir más allá del límite.

Los improductivos tienen una gran lección que aprender de parte tuya: que su producción es el resultado directo de su propio interés (o falta de este) para alcanzar sus metas. La gente busca formas para conseguir lo que realmente quiere. La mayoría de los improductivos quiere conservar su empleo (porque su pareja los desaprobaría si lo perdieran, o por su temor a la vergüenza, y cosas por el estilo), así que todas sus actividades están dirigidas a *conservar su empleo* de un mes al otro. Si logran hacer lo mínimo en ventas, y aun así conservarlo, están logrando lo que se han propuesto. La gente obtiene lo que quiere.

El reto del líder es redireccionar todo el esfuerzo diario hacia cumplir las metas. Si tu equipo cree que tiene que lograrlas, las logrará sin que la técnica que utilicen para ello represente un inconveniente. Las habilidades tampoco serán un problema porque ellos se las ingeniarán e intentarán lo que sea necesario hasta lograr lo que se hayan propuesto. De cierta manera, los improductivos se han convencido a sí mismos de que no hay una conexión directa entre causa y efecto al incrementar algunas actividades para lograr sus metas.

¿Recuerdas esos carritos de juguete que tenías en tu infancia y que se trepaban por la pared y luego daban un giro de 30 grados para seguir avanzando? Cada vez que se tropezaban con un obstáculo, daban ese mismo giro de 30 grados y retomaban su marcha. Si colocas uno de esos juguetes en un recinto con la puerta abierta, siempre encontrará el camino a esa puerta. Siempre. Así fue programado. Está mecánicamente equipado para insistir hasta salir de allí. Eso mismo ocurre con los más productivos. Es la misma situación. Se mantienen intentando estrategias hasta que encuentran su camino. Y si se tropiezan con una pared, inmediatamente hacen el giro de 30 grados y retoman otra vía.

Los improductivos tropiezan con esa misma pared y se deprimen y se apagan, a veces durante 20 minutos, a veces por una semana entera. De igual manera, también se encuentran con una pared y no buscan otra ruta, así que se mantienen estrellándose con ella hasta que se les acaba la batería.

Los líderes también cometen el error de enredarse en los problemas de sus improductivos. Se inmiscuyen en una cruzada de inconvenientes sin fin con la cual pretenden convencer a todo el mundo de que no hay ninguna relación entre causa y efecto. Te cuentan largas historias sobre todas las actividades que hicieron y que sin embargo, no les dieron resultados. Te cuentan de su decepción y de todo el tiempo que fueron *engañados* por sus posibles compradores.

La verdadera oportunidad del líder es enseñarle a su equipo el respeto absoluto por la responsabilidad individual de producir resultados. Todo el que está vendiendo en un mercado libre es 100% responsable de su situación financiera. Toda persona ligada a las ventas es responsable de sus resultados, así como de sus actividades.

Tus improductivos siempre querrán atraparte con las actividades que realizaron y con todas las acciones que han intentado. De lo que no quieren responsabilizarse, es de sus resultados. Los líderes en ventas que son exitosos, se ocupan de los resultados, no de las actividades. Pero incluso así, la mayoría de ellos se enloquece enfocándose en la actividades diarias.

¿Por qué? Porque ellos *saben* que si te enfocas en cumplir con tus actividades sin cesar, *obtendrás* los resultados que deseas. Por eso controlan las actividades. Pero necesitan cambiar ese enfoque y aprender a controlar los resultados y mostrarle a su equipo que cada uno es responsable de los resultados que logra, y *no* de lo mucho que hacen para conseguirlos. En el momento en que un líder se deje convencer de qué tanto está haciendo su gente intentando buscar resultados, habrá roto la conexión que existe entre la causa y el efecto.

Si tú, como líder, les preguntas: "¿Qué tanto has hecho?", ellos te preguntarán: "¿Cómo debo hacer para lograrlo mejor?". Aunque siempre hay mejores técnicas al alcance de la mano, ese no es el eje del asunto. Estás discutiendo resultados y ellos tratarán de alejarte de estos envolviéndote en el tema de las técnicas para obtenerlos. ¡Igual que hacen los niños con sus padres! "Papá, ¡lo intenté pero no lo logré! ¡No puedo hacerlo!". Asegúrate de discutir acerca de la técnica después, cuando se hayan clarificado los resultados. Los improductivos, en su nivel más profundo, no quieren obtener resultados. Necesitas entender esto para no enloquecerte tratando de buscar razones, cuando la única realidad es que ellos no *quieren* resultados sino el empleo, tu aprobación, ser vistos como sujetos que están "realmente intentándolo". Pero en el fondo no quieren resultados, es así de simple.

Los líderes expertos invierten la mayor parte de su tiempo ayudándoles a los productivos a pasar de 10 tortas a 15, divirtiéndose y siendo creativos, formando en este tipo de personal toda clase de habilidades y dándole entusiasmo. Sus equipos, por lo general, terminan entrenando otros equipos. ¿Por qué?

Porque los líderes de otros equipos se quedaron hipnotizados por sus equipos de gente improductiva. De hecho, su equipo de ventas se volvió ágil para vender lo que no es: "Que no existe relación entre causa y efecto... que no hay garantías".

Simplifica. Enfócate en los resultados y siempre obtendrás aquello en lo que te enfoques. Si solamente te enfocas en las actividades, eso es lo que obtendrás... una gran cantidad de actividades. Pero si te enfocas en los resultados, eso será lo que obtengas: una gran cantidad de resultados.

21. Inventa tu propio juego

Aunque muchos creen que la vida es una batalla,
en realidad es un juego que consiste en dar y recibir.
—FLORENCE SCOVIL SHINN, FILÓSOFO Y ESCRITOR

Completa esta frase con la primera palabra que venga a tu mente: "La vida es _____". Lo que primero que se te ocurra, de algo sí puedes estar seguro: eso es exactamente lo que significa la vida para ti.

¿Cuál fue tu respuesta? En una reunión de líderes de nivel medio la respuesta más común fue: "La vida es un juego". ¿Qué versión de vida elegirías, si tuvieras la oportunidad?

Para ser ese líder motivador que deberías, necesitarías mostrarle a tu equipo que la vida bajo tu liderazgo es un juego. ¿Qué hace que cualquier actividad se convierta en un juego? Para esto se necesita que exista alguna manera de llevar un marcador que indique si tu grupo de trabajo va ganando o perdiendo, pero que el resultado no importe para nada. Entonces el asunto se convertirá en nada más que diversión. Así que haz que sea claro que, aunque unidas al juego vienen las posibilidades de ganar muchos premios, el juego en sí mismo debe ser divertido.

Chuck Coonradt, amigo y mentor desde hace un largo tiempo, es un consultor administrativo y además el autor del bestseller *The Game of Work*. Él ha creado todo un sistema para hacer del trabajo un juego. Chuck recuerda que cuando él comenzó en el negocio de los supermercados, en la sección de alimentos congelados, observó que los dueños se ocupaban de cuidar a sus empleados dándoles descansos cada hora para recuperar la temperatura de su cuerpo, y además les asignaban salarios preferenciales. Pero sin importar lo que hicieran por los trabajadores de esta sección, ellos siempre se quejaban del exagerado frio.

"Sin embargo podías tomar estos mismos empleados y ponerles un rifle de cacería de venados", decía Chuck, "y enviarlos a un lugar cuyo clima fuera aún más frío que el de la sección de alimentos congelados, ¡y a ellos les parecía divertido! ¡Y no necesitabas pagarles ni un centavo! De hechos, ¡ellos pagarían por su viaje!".

Randy era uno de nuestros líderes clientes que sufría con el problema del ausentismo. Durante muchos meses trató de atacar y eliminar ese inconveniente. Finalmente se dio cuenta de que es posible suavizar las circunstancias introduciendo el factor juego.

Así que Randy se inventó un juego. (Los líderes inventan, los administradores reaccionan). Diseñó un juego de cartas para todo empleado que asistiera sin falta a su trabajo durante el mes completo. Se introducían todas las cartas en un cesto y cada empleado se encargaba de ir sacando cada vez una carta y mantenerlas juntas en su cubículo o lugar de trabajo. A los seis meses el empleado con la mejor mano de cartas ganaba el mayor premio. Luego el segundo y el tercero con la mejor mano, también ganaban buenos premios en efectivo.

"Mi problema de ausentismo desapareció por completo", comentaba Randy. "De hecho, tuvimos algunos inconvenientes con algunos empleados que se enfermaron e intentaban ir a trabajar estando enfermos, cuando no debían. Se despertaban con fiebre y sus parejas les decían: 'Hoy te quedas en casa' y ellos contestaban: '¿Estás loca? Tengo dos ases y dos reinas, ¿y quieres que me quede en casa?'".

Luego de cuatro años de permanecer en el negocio vendiendo programas de desarrollo de liderazgo, Chuck Coonradt hizo la que pareció su venta más importante durante toda su carrera.

Se contactó con el gerente de una compañía de casas prefabricadas. Como parte de su argumento, el gerente comenzó a darle a Chuck su punto de vista acerca de "los chicos de hoy" —no se interesan, no trabajan, no tienen los mismos valores que yo tenía cuando tenía esa edad.

"A medida que él hablaba, observábamos el piso de la fábrica desde la oficina principal, localizada a unos 30 pies de altura", recuerda Chuck. "De pronto me señaló hacia un grupo de 8 jóvenes trabajadores y me dijo: '¿De qué manera tú y tu programa les ayudarían a ellos?'".

Chuck cuenta que se quedó mirándolos y observando su ritmo de trabajo y le dijo al gerente que "su productividad era comparable a la de una serpiente artrítica en medio de cemento húmedo. Esos chicos parecían estar trabajando en reverso, ¡recostados de espaldas! Él me estaba presentando objeciones sobre las que yo no tenía una respuesta. En realidad, no sabía qué decirle".

Luego, ocurrió algo sorprendente a la hora del almuerzo. Tan pronto como sonó el timbre para ir a almorzar, estos 8 trabajadores soltaron sus martillos como si los hubieran electrocutado y se fueron a una gran velocidad mientras 4 de ellos se quitaron su camisa, corrieron 50 metros lejos de la fábrica y se pusieron a jugar baloncesto.

¡La transformación que causó en ellos esa motivación fue sorprendente! Chuck observó el juego con toda atención durante 42 minutos. Todos sabían su función en la cancha e hicieron su trabajo dentro de ella, apoyando al equipo con energía, compromiso y entusiasmo —todo sin necesidad de un jefe. Ellos sabían cómo contribuir al equipo al cual pertenecían y lo disfrutaban.

A las 12:42, el juego se terminó, ellos tomaron sus loncheras y sus bebidas y comenzaron a volver a sus estaciones de trabajo, a las cuales llegaron a la 1:00 pm, a medida que fueron retornando al ritmo de trabajo de las culebras artríticas en medio de cemento húmedo.

Chuck se dirigió al gerente de la planta y le dijo: "No creo que exista un problema con el material humano, ni creo que haya algún inconveniente con el grado de motivación de estos chicos".

Y ese día Chuck comenzó su tarea para descubrir si sería posible transferir esa energía, entusiasmo y compromiso que él había visto en la cancha de baloncesto a la producción de la fábrica. Su éxito en el asunto se convirtió en un tema legendario en el mundo de los negocios.

"Ahora identificamos cuál es la motivación que hay en la recreación y la traemos al lugar de trabajo", explicó Chuck. "La motivación de la recreación incluye retroalimentación, llevar el récord de los resultados, la planeación de unas metas, liderazgo constante y la elección de personal".

22. Entiende tu propósito

No hay nada tan improductivo como hacer de manera eficiente algo que no deberías estar haciendo.
—PETER DRUCKER

Es difícil motivar a otros si no tienes tiempo de hablar con ellos. No existe peor cosa para desmotivar que ver a un líder que se ha convertido en una gallina descabezada que corre de un lado para otro, sin saber qué hacer.

Los líderes cuyos equipos no se están desempeñando al nivel de sus expectativas, sencillamente están desarrollando actividades inefectivas a lo largo de la jornada. Lejos de parar para decidir qué sería lo indicado y productivo por hacer, hacen más y más cosas improductivas, aumentando de manera estresante la "carga de trabajo". (No hay "carga de trabajo" de la cual preocuparse, si te encuentras haciendo todo lo que es adecuado).

Y como dice el especialista en el manejo del tiempo, David Allen: "Tienes por hacer más de lo que puedes, solo necesitas estar enfocado con tus prioridades".

Las multitareas son el mayor mito de la jornada laboral actual. La parte pensante del cerebro no desarrolla multitareas, así que en realidad la gente tampoco porque el sistema humano no está diseñado para eso. Solo hay un pensamiento a la vez.

Los líderes piensan con alguna frecuencia que están haciendo múltiples tareas, pero en realidad se encuentran realizando una tarea de mala calidad y luego prosiguen rápidamente a otra tarea, también mal hecha y de manera abrupta. Y luego comienzan a preocuparse por todo aquello que hicieron, y que dejaron inconcluso o mal hecho.

Y, como ha anotado el experto en eficiencia en los negocios, Kerry Gleeson: "La preocupación constante e improductiva con todo lo que tenemos que hacer es la mayor consumidora de tiempo y energía". No se trata de lo que hacemos, sino de lo que dejamos sin hacer.

La gente que le halla gusto al hecho de liderar, encuentra maneras de relajarse frente a esos días extremadamente ocupados, enfocándose y orientándose en el orden de las prioridades. Son individuos que, obviamente reciben distracciones, y además se ocupan de resolverles los problemas a quienes les consultan posibles soluciones, pero a pesar de eso saben en qué estaban trabajando antes de la interrupción y retornan a su asunto inicial. Todo porque ellos conocen sus propósitos, ya que fueron ellos mismos quienes los eligieron.

Esa es la clase de líder que la gente admira y obedece.

23. Observa las posibilidades

Los líderes que se destacan no tienen inconveniente en salirse de su camino para darle un incentivo de ánimo a su personal. Si la gente cree en ellos, es asombroso lo que alcanzan a lograr.
—SAM WALTON

Una de las mejores formas de motivar a los demás es aprendiendo de aquellos que te han motivado *a ti*. Aprende de los grandes líderes que has tenido, sintonízate con ellos, clónalos e incorpóralos en todo lo que realizas a diario.

Scott Richardson recuerda: la motivación más efectiva que he tenido, y que me ha servido de mayor inspiración, fue un violinista prodigioso que tuve como profesor. Se trataba de un profesor de Música asociado, vinculado a la Universidad de Arizona. Se llamaba Rodney Mercado. Lo conocí cuando yo tenía 16 años y ya estaba listo para renunciar a mis clases de violín. Mi madre, quien quería desesperadamente que yo fuera violinista, me decía: "Espérate, te encontraré el mejor profesor que exista".

Yo me sentía escéptico, hasta que un día ella por fin me dijo: "Lo encontré, él es el profesor de tu profesor".

El día que lo conocí, él quiso que yo le hiciera una audición y yo nunca antes había tenido que tocar mi violín frente a ningún profesor. Por lo general lo que se acostumbra es pagar por tu clase y el profesor te atiende. Pero Mercado escogía sus estudiantes cuidadosamente, de la misma manera que un líder selecciona su equipo.

¡Y yo hice la peor audición que jamás había hecho en mi vida! Pensé: *"Bueno, eso es todo. Ahora ya no tengo que preocuparme porque él sea mi maestro".*

Poco después él me llamó por teléfono y me dijo: *"Te acepto en mi clase".*

Yo pensé: *"Debe haber alguna equivocación, eso no debe ser cierto. Lo digo porque mi audición estuvo horrible, no imagino a nadie recibiéndome en su clase basado en mi desempeño".*

Pero él tenía la habilidad de ver las posibilidades existentes en la gente. Si alguien más me hubiera escuchado, habría pensado que no había esperanza en mi talento, pero él escuchó más que mi interpretación, él escuchó la posibilidad que existía detrás de lo que yo interpreté.

Y en ese sentido, él era un entrenador y líder profundamente capaz, ya que uno de los aspectos vitales más importantes para motivar a los demás es la habilidad para ver lo que es posible en el futuro, y no solamente lo que está ocurriendo en el presente.

Desde aquella vez aprendí a no rendirme tan pronto con respecto a la gente. Aprendí a observar y escuchar a fondo, lo cual hizo que de repente las habilidades y fortalezas de quienes me rodeaban, brotaran.

Me di cuenta que cada persona actúa de acuerdo con lo que piensa que representa para uno en un momento específico. En otras palabras, de la manera en que vemos a los demás, ellos se comportan con nosotros. Una vez les creemos nuevas opciones, y se las comunicamos, su desempeño se incrementa.

El profesor Mercado me mostró un nuevo ejemplo en cuanto al poder de comunicar otras posibilidades cuando estaba enseñándole a un niño llamado Michael, con quien posteriormente nos hicimos buenos amigos.

Michael era un chico inusual. Cuando él estaba en la Escuela Media, supongo que nunca se cortó el cabello pues lo tenía más largo que el de su hermana, que le llegaba hasta debajo de la cintura. Michael siempre mantenía su cabello en la cara, así que nunca lograbas verlo a los ojos. Además, jamás decía una sola palabra en público.

Sus padres le preguntaron al profesor Mercado sí estaría dispuesto a enseñarle a tocar el violín, a lo cual él aceptó y comenzaron las lecciones, pero si se trataba de la opinión de quienes los observaban, existía entre ellos una comunicación de una vía. Michael jamás respondía en voz alta, y lo que es más, ¡ni siquiera cogía el violín!

Aun así el profesor continuó enseñándole, semana tras semana.

Pero un día, cuando estaba en Octavo Grado, Michael tomó su violín y comenzó a tocar, y en menos de un mes, ¡fue invitado participar haciendo un solo en la Sinfónica de Tucson!

Pude ver por mí mismo que esto fue posible porque el profesor le comunicó a Michael (sin ninguna señal aparente de estar logrando comunicarse) qué el chico era un virtuoso del violín para su profesor.

Así que siempre he recordado a partir de esa experiencia que el desempeño de cada persona es una respuesta a quien la percibe en alguna circunstancia en particular. No hay mejor forma de motivar a otro ser humano.

24. Disfruta el proceso A.R.S. de la confrontación

Liderar es servir, no es más, ni menos.
—ANDRÉ MALRAUX, FILÓSOFO FRANCÉS

Una de las estrategias que enseñamos para incrementar la motivación en otros es la que conocemos como el "A.R.S. de la confrontación" porque les muestra a los líderes cómo *disfrutar* del hecho de lograr que la gente acepte responsabilidad por sus acciones.

La mayoría de los gerentes opina que es imposible *disfrutar* de este proceso. Creen que es la parte más difícil del ejercicio de gerenciar. Sienten que es una de las mayores complicaciones —un mal necesario ligado al hecho de liderar.

De manera que esto explica por qué ellos no tienen éxito cuando de este aspecto se trata.

Afortunadamente existe una forma agradable de lograrlo. Cuando necesitas hablar con algún empleado acerca de su nivel de conducta o desempeño, el cual no va de acuerdo a tus expectativas, intenta hacerlo teniendo en cuenta el método A.R.S.:

A: Apreciar: En primer lugar, es aconsejable mostrar aprecio y reconocimiento por lo que esta persona es y por lo que aporta a la organización, resaltando algunas fortalezas y talentos específicos. Luego, ejemplifica con un caso reciente que resalte algo que el empleado hizo en particular y que te agradó y benefició.

R: Replantear: Posteriormente, replantea tu grado de compromiso frente a esa persona: "Yo creo en ti, te contraté debido a lo que veo en ti y actualmente veo mucho más de lo que vi cuando te contraté. Estoy comprometido con tu éxito en esta organización. Además estoy interesado en tu carrera, en que seas feliz y te sientas realizado". Luego dile de manera exacta y específica aquello con lo que puede contar de tu parte. Haz una lista de lo que haces para lograrlo, la manera en que luchas por salarios justos, tu disponibilidad constante, la forma en que trabajas para darles a tus empleados las herramientas que necesitan para triunfar, y actividades similares.

Este replanteamiento ubica la conversación en el contexto adecuado. El 90% de las "reprimendas" gerenciales es perjudicial para la relación gerente-empleado porque suele darse fuera de contexto. Primero debe establecerse el panorama general, siempre.

S: Seguimiento: El paso final consiste en hacerle seguimiento al acuerdo establecido con tu empleado (si existe alguno) referente al asunto en cuestión. Si no hay un acuerdo existente, deberías pactar uno, preferiblemente en consentimiento y respeto mutuos. Los acuerdos deben ser una cocreación, no mandatos ni reglas. Cuando no se mantiene un acuerdo, las partes involucradas deben poner las cartas sobre la mesa de manera cooperativa, ya sea para reconstruir tal acuerdo o para crear uno nuevo. La gente tiende a romper los acuerdos de los demás y a respetar los propios.

25. Alimenta un ego saludable

Aprender a ser líder es el mismo proceso que aprender a ser una persona íntegra y saludable.
—WARREN BENNIS

Tenemos derecho a tener un grado alto de autoestima. Este es el eje principal dentro de cada persona. No hay por qué pasar por una serie de pruebas humillantes para ganárnosla. Todo lo que necesitamos es abandonar los pensamientos que la contaminan. Debemos dejar de interponernos y permitir que nuestra autoestima brille, tanto en nosotros como en los demás.

El liderazgo que se ejerce con sabiduría, logra extraer lo mejor y lo máximo de la autoestima de las personas. Pero comienza en casa. Si yo soy un líder, mi liderazgo
mi propia autoconfianza. Nosotros, los se
mos fácil el hecho de seguir líderes que co
Nos involucramos con más rapidez en un
encargado de direccionarlo es alguien que
confiadamente.

La mayoría de los gerentes actuales no se toma el tiempo para trabajar en incrementar su autoconfianza sino que se centra en el orgullo que experimenta por el alcance sus metas. Muchos pasan demasiado tiempo preocupándose por la forma en que los demás los perciben, lo cual termina por convertirse en inseguridad y baja estima.

Nathaniel Branden, en su poderoso libro *Self Esteem at Work*, dice al respecto:

"Una persona que siente que no se le toman en cuenta sus logros y éxito tiende a generar grandes expectativas hacia otros. Los líderes no logran ayudar a los miembros de su equipo de manera sustancial, si la necesidad primaria de ellos es, según sus inseguridades, probar que ellos tienen la razón y que los demás están equivocados, caso en el cual sus relaciones con otros no son inspiradoras sino controversiales. *Es una falacia decir que un líder exitoso no debería tener ego.* Un líder necesita un ego lo suficientemente saludable, que le permita no sentirse a prueba en cada reunión —que no opere a la defensiva, ni desde su ansiedad— sino que esté libre para enfocarse tanto en las actividades como en los resultados, y no en la necesidad de darse ínfulas de grandeza o autoprotegerse. Un ego sano se pregunta: ¿Qué debo hacer? Un ego inseguro se pregunta: ¿Cómo puedo evitar lucir mal?

Construye tu fortaleza interior haciendo lo que se requiere y luego procediendo al siguiente paso. Mientras menos te enfoques en cómo te verán los demás, mejor te verán.

26. Contrata gente motivada

El mejor ejecutivo es aquel que percibe lo suficiente como para elegir a la gente adecuada para que haga lo que él quiere que haga, y que se refrena de interferir cuando la persona que eligió, lo está haciendo.
—THEODORE ROOSEVELT

Suena demasiado simple, pero la mejor manera de tener gente motivada en tu equipo es contratando gente motivada. Es mucho lo que puedes hacer para conformar esta clase de equipo. Comencemos con el momento de la entrevista.

A medida que conduces la entrevista, procura anticiparte al tipo de preguntas que tu entrevistado espera y evita hacerlas para que la conversación no se convierta en un juego de roles, así que trata de minimizarlas.

En cambio formula preguntas más originales, diseñadas para descubrir la verdadera personalidad de quien está siendo entrevistado. Para lograrlo, haz preguntas inesperadas, que mantengan a tu prospecto fuera de su zona de comodidad, sin que por eso cada respuesta se convierta en un suplicio. A la gente motivada le encanta este tipo de entrevista, mientras que para los desmotivados será un momento de más y más incomodidad.

La mayoría de personas tiende a desempeñar un juego de roles, interpretando el papel de la persona que creen que sería contratada. Todos tenemos esa tendencia pero tu trabajo es impedir que eso ocurra.

Una forma de conectarte con la persona auténtica frente a ti se conoce como "información por capas", la cual consiste en hacerle seguimiento a cada pregunta, con otra relacionada con el fin de ir adicionando información a la pregunta inicial. Por ejemplo:

Pregunta: ¿Por qué dejaste la compañía XXXX?

Respuesta: Porque no ofrecía mayores retos.

Pregunta: Interesante, cuéntame más acerca de esa compañía. ¿Cómo era?

Respuesta: Era muy difícil y bastante incómodo estar allí.

Pregunta: ¿Por qué crees que te afectaba?

Respuesta: Mi jefe era un microjefe.

Pregunta: Interesante, cuéntame al respecto.

Básicamente, pedir información por capas es exigirle a tu entrevistado que continúe dando información e ir ahondando hasta encontrar lo que necesitas saber porque te da la oportunidad de conocer a fondo a la persona que entrevistas, así que formula preguntas inesperadas, que le impidan al entrevistado adoptar un determinado papel. El siguiente es un ejemplo de un curioso intercambio en una conversación:

—"¿Creciste aquí?".

—"No, crecí en Chicago".

—"¡Chicago! ¿Hiciste allá la Secundaria?".

—"Sí, en Maine East High."

—"¿Cómo fue esa experiencia de asistir a esa escuela?".

Otro ejemplo:

—"¿Cómo estuvo tu fin de semana?".

—"¡Fabuloso!".

—"¿Cómo es un fin de semana típico para ti?".

Un ejemplo más:

—"Veo en tu C.V: que te graduaste en ingeniería".

—"Sí".

—"Si tuvieras que cambiar algo acerca de la manera en que se enseña la ingeniería, ¿qué cambiarías?".

Último ejemplo:

—"Si te pidieran que volvieras y dirigieras la compañía a la cual acabas de renunciar, ¿qué sería lo primero que harías?".

Piensa en preguntas que te intriguen y procura que mantengan alerta a tu entrevistado para que la verdadera persona que hay en él o ella salga a flote y así consigas una retroalimentación más sincera y puedas hacerte a una idea más real de lo que sería trabajar en su compañía.

La mejor manera de conformar un equipo altamente motivado es contratando gente que ya se sienta motivada.

27. Procura no hablar... Deja hablar

Una medida de tu liderazgo es el calibre
de la gente que decide seguirte.
—DENNIS A. PEER, CONSULTOR EN ADMINISTRACIÓN

La mayoría de quienes se encargan de conducir entrevistas de trabajo habla demasiado... y se apresura demasiado a formular la pregunta: "Bueno, ¿qué te gustaría saber acerca de nuestra empresa?".

¡Deja tú de hacer lo mismo! Ese es tu ego hablando —no una buena técnica para hacer una entrevista. La gente que no ha hecho su tarea y que todavía no ha dominado el arte de entrevistar, siempre terminará entrevistándose a sí misma y hablando de la empresa para la que trabaja.

Este es el clásico entrevistador que se siente incómodo haciendo muchas preguntas así que comienza a hablar demasiado pronto de la historia de la organización, de su propia historia dentro de ella, y hasta dando muchas opiniones y convicciones personales. Al hacerlo, está perdiendo su tiempo ya que en pocos meses estará retorciéndose las manos y halándose de los cabellos porque de alguna manera permitió que un empleado problemático, que un quejambroso crónico, se colara e hiciera parte del personal.

Recuerda: no hables. Tu trabajo es intuir el nivel de motivación de la persona que tienes frente a ti. Y eso vas a lograrlo solamente al permitirle contestar pregunta tras pregunta.

Se necesita más decisión, imaginación y preparación para hacer una cantidad inagotable de preguntas, que para conversar. Pero los grandes líderes son grandes reclutadores, tanto en los deportes como en la vida real. Como líder, tú eres excelente, solo en la medida en que lo sea tu equipo de trabajo, así que contrata a los mejores.

Dale Dauten, llamado con frecuencia el Obi-Wan Kenobi de los consultores en el mundo de los negocios, dijo: "Cuando hice la investigación que me llevó a escribir mi libro *The Gifted Boss*, me di cuenta de que los jefes expertos invierten muy poco tiempo tratando de moldear a sus empleados para convertirlos en excelentes, y en lugar de eso invierten sus esfuerzos de forma extraordinaria en hallar y tratar con aprecio a sus empleados excepcionales. Resulta que los jefes que más se destacan, se especializan en encontrar a los empleados que no necesitan su liderazgo".

28. Rehúsate a aceptar las limitaciones

Los líderes no forman seguidores, forman más líderes.
—TOM PETERS

Tus empleados tienden a limitarse a sí mismos todo el tiempo. Colocan falsas barreras y se enredan en problemas imaginarios.

Una de tus habilidades como líder debe ser mostrarles a tus subalternos que ellos tienen la capacidad para lograr mucho más de lo que se imaginan. De hecho, algún día van a llegar a ser líderes, como tú. Y una de las razones por la cual ellos terminan admirándote se debe a que tú siempre ves su potencial, la mejor versión de ellos, y se las comunicas.

Hasta podrías ser la primera persona en la vida de ese empleado, que crea en él. Y debido a eso dicha persona podría convertirse en alguien aún más capaz de lo que era y te aprecie por ello, inclusive aunque a veces esa confianza que manifiestas hacia sus capacidades le haga sentirse incómoda. Y tal incomodidad puede surgir cada vez que le pidas que se esfuerce más, pero eso no debe importarte, tú solo encárgate de presionarle mediante esa fe que tienes en sus habilidades, haz que se esfuerce y que crezca.

Uno de los grandes gurús del liderazgo en el mundo de los negocios en Estados Unidos fue Robert Greenleaf. Fue él quien desarrolló el concepto de "liderazgo de servicio". El líder es alguien que sirve a quienes lo siguen, en todo lo que ellos necesiten, especialmente sacando a relucir en ellos lo mejor que tienen y *rehusándose* a aceptar sus limitaciones como si fueran logros.

Tus empleados tienen derecho a tener fallas como personas, pero como vencedores, no.

Greenleaf dijo: "Cualquiera puede liderar gente perfecta —si la hubiera. Pero no hay nadie perfecto. Por eso los padres que intentan educar hijos perfectos, con seguridad obtendrán hijos neuróticos.

Es parte del enigma de la naturaleza humana que la típica persona inmadura, insegura, inepta, perezosa, sea capaz de tener un alto grado de dedicación y heroísmo si es guiada sabiamente. El secreto para construir un equipo de trabajo exitoso es tener la capacidad de animar a cada uno de sus miembros a seguir creciendo mucho más allá de lo que ellos hubieran pensando".

29. Haz las veces del policía bueno, y también del malo

Si tus acciones inspiran a otros a soñar más, a aprender más, a hacer más y a ser mejores, entonces tú eres un líder.
—JOHN QUINCY ADAMS

Si eres de los que motiva de forma efectiva a los demás, entonces sabrás cómo jugar al policía bueno, tanto como al malo, y también sabrás que no necesitas de dos personas para desempeñar esos dos papeles. Un verdadero motivador, hace los dos.

El policía bueno: nutre, lidera, sirve como mentor y entrenador, apoya a tu equipo todo el tiempo mantiene su palabra, quita los obstáculos en la vía al éxito, elogia y reconoce siempre el esfuerzo de todos, lidera mediante el refuerzo positivo de una conducta apropiada, sabiendo que eres un verdadero líder que comprende que se obtiene aquello que uno premia.

El policía malo: malo hasta los huesos. Sin ninguna clase de compromiso con la gente que te mantiene a punta de promesas, inclusive las relacionadas con desempeño, pero no las cumple, sin respeto por quienes se quejan ni por los que no cumplen sus metas; sin lugar en el equipo para los perezosos, con claridad, convicción y decisión, con todas las cartas puestas sobre la mesa, sin necesidad de mensajes encubiertos, sino directo a la cara: "Yo creo en ti, sé lo que eres capaz de hacer y la única razón por la cual eres parte de este equipo es porque quiero que hagas el trabajo que te corresponde".

Es obvio que no tienes que actuar muy seguido como el policía malo, solo cuando el enfoque de policía bueno ya no está dando resultados. El papel del policía malo suele servir para despertar del letargo a alguien que jamás ha sido retado en la vida a ser la mejor versión de sí mismo. Y una vez la sesión de policía malo ha terminado y la persona entra en cintura, haciendo un mejor esfuerzo, haz el papel del policía bueno para terminar de completar el proceso.

30. No te enloquezcas

Cuanto más viejo me vuelvo, mayor es la sabiduría que encuentro en la antigua norma de ubicar primero lo primero, porque es un proceso que por lo general reduce el problema humano más complejo a una proporción manejable.
—DWIGHT D. EISENHOWER

Cuando estoy pensando en siete cosas en lugar de una, y estoy tratando de mantenerlas en mi mente a la vez que te escucho, en realidad no puedo concentrarme porque se me acaban de ocurrir tres pensamientos más, a los cuales necesito prestarles atención cuando te vayas, y espero que sea pronto.

Así que miro la hora un par de veces a medida que me hablas, ya que mentalmente estoy en otros asuntos, haciendo un millón de cosas, pero de lo que no me estoy dando cuenta es de que mi pobre relación contigo está siendo afectada por mi comportamiento, que se está destruyendo poco a poco porque en realidad el mensaje primordial que estoy enviando, no solamente a ti, sino a los demás integrantes de mi equipo, es que estoy estresado y *la situación está fuera control.*

Hasta le digo a mi familia: "La situación está fuera de control aquí y quiero estar más tiempo con ustedes, pero en este momento es complicado, sencillamente una locura".

Bueno, la situación no es lo que está fuera de control, eres *tú* quien está fuera de control y necesitas ser honesto al respecto. No es complicado, es nada más que trabajo, negocios.

Los líderes que se sienten de esa manera, reaccionan con desaforo diciendo: "¿Qué? ¿Ella va a renunciar? ¿Por qué? ¿De verdad va a renunciar? De verdad que no se puede confiar en nadie en estos tiempos. Llámenla, necesitamos arreglar esta situación. Cancelen mis reuniones, quiero averiguar por qué ella va a renunciar".

Bueno, ella ha tomado esa decisión por la siguiente razón: tú solamente hablaste con ella por un máximo de tres minutos en toda conversación durante el pasado año. Es probable que hayas hablado con ella 365 veces, pero fue nada más por tres minutos. Esa no es una relación profesional, sino una relación manejada de manera ocasional.

Así le guste o no al líder, es creando buenas relaciones como se construyen una carrera, un negocio y un equipo excelentes.

Por lo general, quienes admiran, o en cierta medida, temen, o "respetan", a los líderes que desarrollan multitareas, admiten que se sienten menos seguros porque ese tipo de conducta produce un cierto "desequilibrio". Cuando se encuentran con su jefe, este les dice: "Bueno, sigan, sé que necesitan verme. Pasen por aquí, permítanme tomar esta llamada. Es una locura. Tengo que estar en una reunión en dos minutos, y estoy esperando un correo, así que discúlpenme si me ocupo de él cuando me llegue, denme un segundo. Sé que tienen algo en mente así que, ah, háblenme... Oh, discúlpenme un instante".

Cuando logramos que los líderes lleguen a experimentar el hecho de actuar pausadamente y enfocarse en cada conversación, como una forma de afrontar el día, ellos se sorprenden. Si lo practican por una semana, nos contactan y dicen: "Increíble, he tenido una mejor comprensión de mi equipo durante esta semana, que en todo el tiempo que llevo desempeñando este cargo".

Les parece increíble porque con frecuencia, cuando ellos aprenden a tomar las cosas con calma y se detienen frente al siguiente asunto urgente, se les ocurre que *alguien más quisiera encargarse de realizarlo*. Y no solo eso, sino que ese alguien más también se sentiría *honrado* de hacerlo. "Mis subalternos se alegrarían de saber que confío en ellos, si les propongo que se encarguen del asunto, y de que lo hagan bien, ya que me agrada la forma en que hacen las cosas".

Existen muchas responsabilidades que pueden delegarse y encomendársele a otros miembros del equipo, pero solamente si tú recuperas el equilibrio y te tranquilizas.

Una de las mejores formas de motivar a otros es asignándoles las tareas más interesantes, en especial aquellas que te permiten tener más tiempo para otros asuntos. Ese es justo el tiempo que podrías emplear en fortalecer y motivar a tu equipo.

31. Deja de tolerar en exageración

Yo nunca los maltrato. Yo solo les digo la verdad
y ellos creen que eso es maltratarlos.
—HARRY TRUMAN

De forma inconsciente, los líderes sin hábitos de liderazgo, buscan, por sobre todas las cosas, ser aceptados. Prefieren dejar que sus empleados se salgan con la suya, antes que llamarlos a cuentas. Les dan a sus subalternos ineficientes la falsa impresión de que todo está bien. Son líderes que prefieren buscar aprobación a inspirar respeto. Pero este hábito tiene una consecuencia severa, y es que conduce a la falta de confianza en el lugar de trabajo, asunto que sale a relucir de manera muy frecuente en las encuestas a empleados.

Un verdadero líder no se enfoca primero en tratar de agradar, sino que se ocupa en todo lo referente a lograr *respeto*. Ese es un objetivo muy distinto, con resultados igualmente distintos. (No me siento motivado por ti porque me agradas, sino porque te respeto).

La pregunta central a la cual debe referirse el líder es: "Si yo fuera mi propio líder, ¿que sería lo que más necesitaría de mí mismo como líder en este instante?".

Las respuestas a esa pregunta varían, pero las más frecuentes son:

1. La verdad, tan pronto como la sepas.

2. Total y completa comunicación sobre lo que esté sucediendo conmigo o con los demás.

3. Mantener todas las promesas, en especial las pequeñas ("Mañana te digo lo que pienso respecto a lo que dices."), de forma consistente, incluso obsesiva. No algunas promesas, ni un alto porcentaje de ellas, no un buen intento, sino todas las promesas que hagas.

Cuando no se sostiene una promesa, (en especial una pequeña), es necesario ofrecer disculpas de inmediato, y renovar la promesa rota.

Un verdadero líder no trata de convertirse en el gran compadre de todo el mundo, aunque aprecia que lo tengan en cuenta y le comuniquen qué pasa a su alrededor. Un verdadero líder no se sobrecarga con la idea fija de ser siempre aceptado, y hasta está dispuesto a participar en conversaciones incómodas, con tal de aclarar y precisar lo que sea necesario. Un verdadero líder no trata de relacionarse inadecuadamente en relaciones privadas con miembros de su equipo. El verdadero líder disfruta todos los aspectos que intervienen en la rendición de cuentas y responsabilidad, transformando su liderazgo y desempeño en toda una experiencia motivante.

32. Lo peor es primero

La mejor manera de salir del atolladero, es atravesándolo.
—ROBERT FROST

El tema primordial que concierne a los líderes de hoy es: ¿Cómo motivar a otros cuando no tienes buen manejo del tiempo? Esto fue todo un problema para Carlos, un líder que dirigía un grupo de interventores.

—"Con todo lo que recae sobre mí, con todo lo que llega a mis manos, con las llamadas que recibo y las obligaciones que tengo, más lo que tengo que hacer en el diario vivir, tendría que agregarle unas 10 horas a mis días", contaba Carlos.

Nos reímos: "Esto le ocurre a todo mundo, Carlos. Deja de pensar que tu caso es único. Reprográmate y enfócate. Rebobina tu mente, comienza de nuevo".

Todas las personas que funcionan en este mercado global tienen más cosas para hacer que lo que el tiempo les permite.

Ese no es en realidad un problema, sino un lado emocionante de la vida.

—"Pero es muy, muy tentador caer en un estado de estrés", dijo Carlos. "Es tentador caer en la condición de víctima, sintiéndose 'aplastado' con tanto por hacer".

—"Es cierto. Intenta reorganizarte y mirar la situación desde 10.000 pies de altura. ¡Proyéctate!".

—"Pero la verdad es que me siento abrumado", dijo Carlos casi gritando.

—"No hay nada que pueda hacer, me siento saturado. ¿Cómo puede alguien manejar este equipo cuando hay tanto por hacer? Y justo cuando crees que estás tomando el control de la situación, recibes una llamada, un correo, otra petición, otro programa por implementar, otro formato que llenar, y me siento ya casi listo para soltarlo todo y decir: '¿Cómo hago con todo esto?'".

—"Carlos, escucha. Relájate. Busca un método que te ayude en tu calidad de líder a mejorar el manejo del tiempo. Simplifica".

—"¿Por qué tengo que simplificar?", preguntó Carlos. "Parece que lo que necesito es una solución más compleja para un conjunto complejo de retos que afronto".

—"Porque independientemente de lo que hagas, no puedes evitar esta verdad acerca del liderazgo: serás acosado, obstaculizado e interrumpido. Y existen dos reacciones entre las que puedes escoger para direccionar este aspecto del liderazgo".

Carlos no dijo nada.

—"Una opción es convertirte en víctima y decir: 'No soy capaz de sobrellevar esto, es demasiado', para la cual no se requiere imaginación, ni valentía y es sencillamente la mejor manera de darte por vencido —y de quejarte de tu situación. Inclusive hasta quejarte con otras personas, otros líderes, administradores, miembros de la familia, todos ellos te hallarán la razón y finalmente dirán: 'Tienes razón, necesitas salirte de ese negocio lo más pronto posible'".

Carlos comenzó a asentir en señal de acuerdo.

—"Eso ocurre", dijo. "Pero no me ayuda a disfrutar de mi trabajo: tener amigos y familiares diciéndome que debo salirme de mi actividad laboral, hace que mi situación sea doblemente difícil".

—"¡Correcto! Así que hay otra forma de afrontarlo y es manteniendo el más adecuado sistema para el manejo de tu tiempo que te sea posible. Este es el que yo recomiendo, y es con el que la mayoría de líderes ha obtenido mejores resultados. Es muy simple, se reduce a pocas palabras: *¡lo peor es primero!*".

Trabajamos con Carlos para lograr que él viera que la mejor manera de administrar su tiempo no es pensar en ello como manejo de tiempo, sino como *manejo de prioridades*, ya que en realidad no es posible "manejar el tiempo", nadie ha podido agregarle más horas al día.

Pero sí es posible manejar las prioridades y las actividades que decides realizar.

—"Lo peor es primero", repitió Carlos. "¿Qué significa eso?".

—"Haz una lista de todas las actividades que necesitas y te gustaría hacer en los días siguientes. A lo mejor has estado intentando atiborrarlas todas en un par de días, pero sabes que no es posible. La lista no tiene que ser perfecta, pero una vez la tengas es más fácil decidir qué de todo lo que tienes es más retador e importante".

—"¿Cómo hago para estar seguro de qué es lo correcto? ¿Y cómo todo esto influye en la motivación que necesito darle a mi equipo? ¿No es esa tu especialidad?".

—"Sí, pero hasta que no estés en control de ti mismo, no estarás en capacidad de motivar a nadie más. Necesitas tener solidez y organización, y esas dos características deben venir de dentro de ti".

—"Bueno, bueno, eso lo sé pero ¿cómo hago para elegir aquello en lo que debo enfocarme?".

—"¿Qué es aquello que más tiendes a postergar? ¿Qué es lo más importante que necesitas hacer, no necesariamente lo más urgente, sino lo más importante?".

—"¡Ah!", dijo Carlos. "Creo que ya estoy entendiendo. Aquello en lo que más me mortifica pensar. Eso es lo que debo seleccionar primero".

—"Correcto".

Muchos líderes son como Carlos, no tienen un sistema sencillo que los apoye sino que responden a lo que parezca más urgente. Todo el día están preguntándose: "¿Qué requiere de mi atención en este momento?". Y muchas veces lo que ellos creen urgente, en realidad es un asunto de poca importancia.

—"¿Pero no hay necesidad de hacer las cosas pequeñas?", preguntó Carlos.

—"Sí, claro que deben hacerse, pero al mismo tiempo estás dejando cosas importantes a un lado. Muchas veces es incluso más efectivo apagar tu teléfono, desconectarte de internet, seleccionar algún asunto importante y hacerlo hasta completarlo, prefiriendo que lo urgente espere".

—"Yo sé que siempre hay asuntos pendientes en mente", dijo Carlos. "Asuntos en los que pienso una y otra vez, y que interrumpen lo que sea que estoy haciendo".

—"Ya te vas dando cuenta, Carlos. No logras enfocarte en una manera serena y agradable para hacer lo que necesitas porque allá en tu mente tienes algo que es importante. Y cuando vas a casa en la noche, lo que más te ha cansado y quitado las energías, y te deja con la sensación de no haber tenido un buen día, es aquello que no hiciste pero necesitabas hacer".

—"¡Totalmente de acuerdo!".

—"Así que, entrando en el asunto de que "lo peor es primero", necesitas elegir aquello que es más difícil de hacer, que te encantaría solucionar y quitar de tu mente. Esa debe ser tu *primera* prioridad. No harás nada más hasta tanto no culmines eso primero".

Pasaron las semanas y Carlos luchó con ese sistema hasta que finalmente y después de mucha práctica logró ajustarse. Cuando logró hacer "lo peor primero", experimentó una libertad que no conocía. Su equipo de trabajo estaba motivado al verlo tan liberado diariamente al haber realizado lo difícil antes de todo lo demás. Carlos había logrado la ansiada rutina de salir de lo más difícil primero, y el resto del día era un disfrute total. Recuperó su energía y pronto estaba enseñándoles a otros el mismo sistema.

Carlos nos llamó unos meses más tarde para actualizarnos en cuanto a su nuevo estilo de liderazgo: "Me siento liberado. Si alguien me dice: '¿Por favor se sienta y me explica este asunto?', y yo ya hecho lo que más trabajo me costaba durante el día, mi respuesta es: '¡Claro! ¿Cuánto tiempo necesitas para que hablemos? Comencemos'".

33. Aprende a experimentar

No seas demasiado tímido ni inseguro respecto a tus acciones.
La vida entera es un experimento.
Y mientras más experimentos hagas, mejor.
—RALPH WALDO EMERSON

Una de las quejas más comunes de los líderes de hoy es esta: la gente que ellos supervisan odia hacer cambios, aunque estos se requieran con frecuencia en el mundo altamente competitivo de los negocios. Por eso terminan agarrándose de los cabellos, tratando de implementar tales cambios.

La forma en que respondemos a ese interrogante es reconociendo que posiblemente es difícil para cualquier persona animar a la gente a aceptar cambios, pero intenta lo siguiente: todos preferimos no cambiar, pero nos encanta experimentar. Como periodista y experto consultor en negocios, Dale Dauten ha comentado: "La experimentación nunca falla. Cuando intentas algo y termina siendo una idea desastrosa, muy rara vez vuelves al punto en que estabas porque has aprendido algo nuevo, así que el cambio, como mínimo, te enseña a apreciar lo que estabas haciendo antes del experimento. Por eso pienso que los experimentos nunca fallan".

De manera que, en este negocio en que estamos, no podemos darnos el lujo de perder oportunidades. Sin embargo, nuestros clientes están experimentando constantemente hasta encontrar lo que les funciona mejor para sus empleados, para el negocio y para la clientela. Los ejecutivos simplemente les dicen a sus equipos: "Este es un *experimento* con el fin de ver si esta estrategia funciona mejor para ustedes y para nuestros clientes. Si así es, magnífico, continuaremos implementándola. Si no, la modificaremos o nos desharemos de ella".

Y a medida que vas monitoreando la experiencia y recibiendo retroalimentación, te darás cuenta que la antigua costumbre de ofrecer resistencia al cambio se diluye porque tus empleados en verdad disfrutan de un buen experimento.

34. Comunica a consciencia

*Nos ahogamos en datos, pero aun así
estamos escasos de información.*
—RUTH STANAT, CONSULTORA DE NEGOCIOS GLOBALES

Comunícate de forma consciente. Permanece alerta en cuanto a la manera en que los demás te escuchan.

La autoridad en liderazgo, Warren Bennis, dice: "Los líderes eficientes hacen que la gente se sienta centrada en lo que hace, y no en la periferia. Todos creen que marcan la diferencia en el hecho de lograr el éxito para la organización a la que pertenecen. Cuando eso ocurre, la gente se siente centrada y como resultado, su labor adquiere significado".

Vivimos en la era de la información. Tus empleados utilizan su mente creativa y productivamente a lo largo de la jornada. No se encuentran en un rincón solamente limpiando el polvo. Su trabajo es comunicarse. En la actualidad, más que nunca antes, la comunicación es la materia esencial de la vida del ser humano y de toda organización. Y a pesar de esto, dejamos la comunicación como un asunto al azar, o de "sentido común", o a tradiciones caducas que ya no funcionan porque no mantienen informada a la gente, ni la incluye en el hacer diario.

La comunicación es la fuente de la confianza y el respeto de cada organización. Así que pongamos todas nuestras cartas sobre la mesa tan frecuentemente como nos sea posible.

Cuando incrementamos nuestro estado de consciencia en la comunicación, ésta mejora. Cuando tomamos responsabilidad total frente a la manera en que nos comunicamos, la organización prospera.

35. Mide el desempeño de tu equipo

El desempeño es tu realidad. Olvídate de los demás.
—HAROLD GENEEN, GERENTE EJECUTIVO DE ITT

¿Te imaginas un juego en el cual no conozcas el marcador o compitas frente a unos jueces pero no sabes lo que ellos opinan? ¿Y que aparte de eso los jueces no te digan por largo tiempo cómo estuvo tu participación? Esa sí sería una pesadilla.

Nos sentamos en una reunión dirigida por Megan, quien está teniendo dificultades para motivar a su equipo para que cumpla con las metas asignadas por la empresa.

—"Exactamente, ¿cómo vamos en este momento?", le preguntó Clara, miembro del equipo, desde el otro extremo de la mesa en la que estábamos sentados.

—"No lo sé todavía, Clara", contestó Megan. "Todavía no he mirado el reporte. Tengo la sensación de que vamos muy bien este mes, pero aún no conozco las cifras".

Se veían en la cara de Clara que estaba sintiendo una combinación entre desilusión y dolor.

Al rato nos reunimos solamente con Megan y le explicamos por qué necesitaba cambiar ese enfoque de inmediato si quería tener alguna esperanza de motivar a Clara y sus compañeros de equipo. Ella tenía que saber cómo iban los resultados.

—"A mi simplemente no me gustan las cifras", argumentó Megan. "Nunca me gustaron, no soy esa clase de persona que se interesa en las estadísticas".

—"Pues ya sea que disfrutes o no de ellas, si estás en una posición de liderazgo, es imperativo que lleves el récord de los *resultados* que está obteniendo tu equipo. De lo contrario, no hay forma en que consigas mantenerlo motivado, sino hasta que hagas tu tarea, conozcas en qué punto van los resultados y *les hables a todos respecto a lo que arrojan las cifras.* Si tú eres la líder, que lo eres, entonces debes hablar, tanto del juego como del marcador".

—"Bueno, yo jugué un poco de baloncesto en la Secundaria. A lo mejor puedo relacionarlo con eso", comentó Megan.

—"Imagínate a tu entrenador de baloncesto durante el juego. Tu equipo se acerca a la línea de juego, el partido está por terminar, y tu entrenador les dice: 'No he visto el tablero del marcador desde hace un rato, así que no sé si vamos ganando o perdiendo. De todas maneras, estas son las jugadas que creo que deberíamos hacer después de este descanso'".

Megan sonrió y dijo: "¡Ese sería un entrenador en el que yo jamás tendría ninguna clase de confianza!".

—"¿Por qué no?".

Megan no contestó.

—"¿No eres tú esa clase de entrenador, Megan?".

Megan dijo: "Entiendo lo que me quieres decir. Mis mejores entrenadores fueron gente que premiaba los resultados y se emocionaban con ellos".

—"¡Correcto! Los grandes líderes hacen lo mismo. Ellos llaman a su equipo y le dicen: 'Ya tengo la cifra de los resultados que obtuvieron la semana pasada. ¡Son mejores que los que han obtenido el resto del año!'. Esta es la clase de líderes que le encanta a la gente porque ellos siempre saben si el equipo va ganando o perdiendo. Ellos siempre saben cuál es el marcador".

Le recordamos a Megan que hacía poco, durante la reunión, ella le había dicho a su equipo: "Bueno, ustedes están trabajando realmente y sé que están haciendo un esfuerzo. Anoche pasé por la oficina y vi las luces encendidas, y ya era tarde, así que de verdad aprecio lo que están haciendo". Le dijimos que su enfoque actual necesitaba unos buenos ajustes.

—"¿Qué tuvo de malo haber dicho lo que dije?", preguntó ella.

—"No es apropiado porque el respeto por las metas alcanzadas se convirtió en respeto por 'intentar cumplirlas'. Megan, escucha: tenemos una frase muy común que sintetiza lo que quiero decirte, Cuando alguien es inefectivo y se estresa por simplezas, decimos que esa persona no sabe dónde está parada. ¿Por qué? Porque saber en dónde estamos es el primer paso para seguir hacia la meta".

Queríamos que Megan se diera cuenta de que su error se podía corregir de inmediato. Era solamente cuestión de interesarse por conocer cómo iban los resultados antes de que ella enviara un correo o hiciera una llamada.

Pero ese error, aparentemente tan pequeñito, da la impresión de que el líder de cualquier equipo piensa que todos están allí por cualquier otra razón, distinta a la de ganar y alcanzar metas precisas.

El entrenador tiene que ser quien le explica al equipo con tremenda precisión cuál es exactamente el marcador, cuánto tiempo queda y cuál es la estrategia a seguir teniendo en cuenta esas cifras. Cuando tienes un equipo basado en esas cifras, sabes cuándo vas ganando, cuándo tuviste un buen día, cuándo las cosas van bien, y cuándo no.

Eso genera una agradable sensación de que el líder no está escondiendo la realidad. Así que busca formas, a medida que te comunicas con tu gente, de mejorar e incrementar las estrategias para evaluar, y en especial, para incentivar la conciencia que se tiene en cuanto a la importancia de saber cómo va el marcador.

Pero tiene que provenir de ti. Tú no puedes esperar a que las políticas de la empresa cambien, eso es justo lo que muchos hacen, esperar a que su propio liderazgo y estilo de administrar adquiera un nuevo sistema, nuevos resultados, nuevos materiales y cosas por el estilo. Pero ellos no hacen nada para que eso se dé. Por eso es bueno que tú no esperes, haz que el cambio parta de ti.

Tiene que ser tu deseo personal de innovación encontrar otros métodos para mantener claro el marcador de tu equipo. De esa forma tu equipo relaciona dichos métodos contigo y con todo lo que estos representan para ti. ¿Hay algo que quieras mejorar? Encuentra maneras de hacerle seguimiento, de mantener el récord de los resultados. El amor por los juegos que está en todo ser humano es un factor con el que puedes contar. Mientras más midas los resultados, más motivada se sentirá tu gente por mantenerse actualizada en cuanto a esas cifras.

36. Maneja lo fundamental primero

Muéstrame un hombre que no se moleste en realizar cosas pequeñas y yo te mostraré a un hombre a quien no se le pueden confiar proyectos importantes.
—LAWRENCE D. BELL, FUNDADOR DE BELL AIRCRAFT

Los métodos motivacionales de Rodney Mercado no son métodos efectivos para enseñar solamente Música, sino cualquier otra cosa. Mercado era un genio en 10 áreas distintas, incluyendo Matemáticas, Economía, Sociología, Antropología e Historia de la Música.

Scott recuerda: una vez me sorprendió enseñándome Economía en medio de una clase de Música. Mercado me miró y dijo: "Bueno, Scott, ya sabes que las Matemáticas son muy, muy sencillas. Todo se basa en la suma, pero mucha gente no tiene eso en cuenta. Así que si tú aprendes cómo uno más uno es igual a dos, todo lo demás en las Matemáticas fluye a partir de eso. Todo".

Él siempre estaba enfocándose en los fundamentos. Como la vez que vino a asistir a nuestro grupo de cámara para tocar una pieza. Bajo su guía, gastamos la hora entera trabajando en los primeros movimientos de lo que íbamos a interpretar. Seguimos ensayando una y otra vez, y cada vez nos pedía que exploráramos una nueva posibilidad.

"¿Cómo les parecería crear más sonido aquí?", preguntaba. Y luego nos daba ideas sobre qué posibilidades teníamos para hacerlo así. Y al final de la hora, todo lo que habíamos hecho era trabajar en dos movimientos de una pieza que probablemente tenía 80 movimientos. Luego, al final decía: "Bueno, ahora interpretemos toda la pieza". Toda la interpretación y todo nuestro grupo éramos transformados. ¡Interpretábamos toda la pieza de manera bella! Eso me enseñó el poder de lo esencial. No pases por encima, haz que tu equipo disminuya su ritmo, paso a paso, consiguiendo que hagan muy bien lo esencial, hasta dominarlo.

Dirigimos a un cliente en su reunión con el gerente general de la empresa y dos personas no se presentaron a tiempo a la reunión. El gerente ejecutivo quería acelerar la junta y "hablar con quienes no se presentaron", pero más tarde.

Pero nosotros lo tranquilizamos y mantuvimos al grupo enfocado, despacio y fundamentalmente, en cómo manejar esa tardanza, absentismo y falta de compromiso de estos dos gerentes. En el proceso tocamos otros puntos con otros gerentes en cuanto a la naturaleza del compromiso, y una nueva póliza que acababa de surgir.

37. Motiva con el ejemplo

La gente se divide en dos clases: los que se arriesgan
y siguen adelante, y aquellos que no hacen nada y se sientan
a discutir ¿por qué las cosas no se hicieron diferente?
—OLIVER WENDELL HOLMES

Algunos líderes no hacen las cosas en el orden de prioridades que racionalmente deberían hacerse, sino que las hacen de acuerdo con sus sentimientos. Y así es como trabajan a diario. (Esta es, a propósito, la forma en que actúan los niños. Viven de sentimiento en sentimiento. ¿Tienen ganas de llorar? ¿De reír? Así viven los niños).

Los administradores profesionales caen en una de esas dos categorías. Existen los emprendedores y los emocionales. Los primeros hacen lo que sea necesario para alcanzar las metas que ellos mismos se han propuesto. Van a su trabajo habiendo planeado lo que es necesario. Por otra parte, los emocionales hacen lo que sienten que deben hacer. Se toman la temperatura emocional durante todo el día para ver cómo se sienten y así decidir qué deberían hacer. Su vida, sus actos, su seguridad financiera, todos estos aspectos están supeditados a la fluctuación de sus sentimientos, los cuales cambian constantemente, por supuesto. Así que es difícil para quienes se basan en sentimientos seguir un camino hasta llegar a una meta exitosa.

Sus sentimientos cambian debido a variables como: biorritmo, malestares gástricos, una taza de café cargado, una llamada preocupante de la casa, una mesera ruda a la hora del almuerzo, una gripa, un pequeño dolor de cabeza. Esas son las fuerzas que dictan sus movimientos, las que comandan el ritmo de la vida de un emocional.

Los emprendedores saben de antemano cuánto tiempo se van a demorar en una llamada telefónica, cuánto va a tomarles una reunión, qué empleados serán eficientes, qué relaciones se fortalecerán, qué comunicación va a tener éxito. Ellos usan un sistema de tres pasos para garantizar su éxito:

1. Deciden qué quieren conseguir.

2. Planean lo necesario para alcanzar eso que quieren.

3. Lo hacen.

Esa no es una teoría —es un sistema efectivo que siempre utilizan los triunfadores. El emocional es alguien que lleva una vida de consecuencias inesperadas y de problemas deprimentes. Es el tipo de persona que pregunta: "¿Me siento con ganas de hacer mis llamadas en este instante?". "¿Tengo ganas de escribir esa nota de agradecimiento?". "¿Me siento con ganas de hablar en este momento con esa persona?". Si la respuesta es no, entonces quien es emocional irá leyendo una a una las cosas pendientes en su lista preguntándose: "¿Me siento con ganas de hacer algo que tengo pendiente?". Y así vive en esa actitud de revisar sus sentimientos para hacer o no lo que se le presenta a diario.

En cambio, el emprendedor tiene una alta autoestima y disfruta de muchas satisfacciones a lo largo de cada día, aunque algunas provengan de situaciones incómodas. El emocional está casi siempre cómodo pero nunca realmente satisfecho. El emprendedor conoce la realidad, esa que solo los triunfadores conocen y que les produce felicidad. El emocional cree que la felicidad es para los niños y que la vida para el adulto es una continua dificultad. El emprendedor se vuelve más y más fuerte a medida que pasan los años. El emocional se debilita cada vez más con el paso de la vida.

Tu habilidad para motivar a otros se incrementa exponencialmente en la medida en que tu reputación como emprendedor aumenta. Además adquieres mayor claridad acerca de quiénes son los emprendedores y los emocionales en tu equipo. Entonces, como eres tú quien lidera con ejemplo el comportamiento emprendedor, también comienzas a inspirar a los miembros emocionales de tu equipo a ser emprendedores.

38. Conoce las fortalezas de tu equipo de trabajo

Aquellos que utilizan sus fortalezas más que sus debilidades, que no se permiten entrar en conflictos internos, son muy escasos. En toda generación existen solo unos pocos de ellos, y son ellos precisamente quienes lideran su generación.
—MOSHE FELDENKRAIS, SICÓLOGO

Identifica las fortalezas de quienes te rodean.

Esa es la premisa primordial que inspiró el libro *From Good to Great*, de Jim Collins. Y esa idea de pasar de lo bueno a lo excelente también aplica a la gente a la cual necesitas motivar. Es mucho más efectivo construir basándote en sus fortalezas, que preocuparte demasiado por sus debilidades. El primer paso es *identificar* a ciencia cierta sus habilidades para que puedas ayudarles a expresarlas al máximo posible.

La mayoría de los líderes se pasa demasiado tiempo, especialmente en el campo de las ventas, tratando de arreglar lo que está mal. Tu equipo a lo mejor identifica áreas negativas y dice: "Es posible que no sea tan bueno en esto y que necesite mejorarlo. Y tampoco soy muy bueno en el teléfono, necesito tomar control de ese asunto...". ¡Pero escucha el tono en que lo dicen! Casi siempre lo dicen de forma deprimente.

La siguiente es una fórmula simple (y una vez la aprendas, lograrás metas maravillosas). Si la gente se enfoca en lo que está funcionando mal en cada uno, *el simple hecho de enfocarse en esa parte*, los pone de mal humor. El ser humano confronta muy poco lo que está mal. Y lo hace con una honestidad mórbida. El tono de voz desciende porque el entusiasmo se acaba y la angustia comienza. Y muy pronto, nos encontramos procrastinando, posponiendo todo lo que hay por hacer. Entonces terminamos diciendo: "Esto me causa incomodidad, no quiero ni pensar en este asunto. Por alguna razón (no sé cuál) estaba de buen genio antes de acordarme... Pero no estoy dispuesto a trabajar en eso ahora. Ya veo que no voy a ser capaz de trabajar en este problema hasta que me sienta un poco más animado. Uno no puede trabajar en algo cuando no tiene energías para hacerlo".

Fuimos a una compañía de computadores y escuchamos cuando el gerente, Matt, hablaba acerca de su personal.

—"Me gustaría que mi equipo investigara más, antes de hacer sus llamadas de ventas", dijo Matt.

Y luego, cuando nos sentamos con uno de los vendedores de su equipo, Byron, él dijo: "Sí, buen punto. Yo no soy muy bueno en eso".

—"Bueno, no eres muy bueno en eso, así que prosigamos".

—"No, no. Yo quisiera mejorar", le dijo Byron. "Eso es algo que tengo que arreglar, quiero ser mejor. ¿Por qué no me entrenas? ¿Cómo podría mejorar?".

Y escuchamos su tono bajo de voz. Sabíamos que Byron jamás mejoraría debido a que observamos que el tema lo afectaba y deprimía.

Para arreglar de verdad alguna dificultad y lograr fortalecerte en ese campo difícil, necesitas afrontarlo con un ánimo positivo. La gente necesita tener energía, ya que es así como dan lo mejor de sí.

—"Entonces ¿cuándo tendrá mi gente buen ánimo?", preguntó Matt después que le explicamos lo anterior.

—"Los miembros de tu equipo tendrán ánimo cuando piensen de forma positiva en sus fortalezas al momento de hacer sus ventas. Haga que ellos se pregunten: '¿En qué soy realmente bueno? ¿Cuáles son mis fortalezas?'. En el momento en que ellos comiencen a enfocarse en esos aspectos, su nivel de energía mejorará, al igual que su autoestima. Y lo mismo ocurrirá con su entusiasmo".

De allí es de donde proviene la mayor infusión de productividad. Primero, te das cuenta de lo que cada persona es capaz de hacer, y luego, tu equipo pasará de bueno a excelente.

Cuando trabajamos con Byron, le dijimos: "Bueno, Byron, olvídate de tus debilidades, de aquello en lo que no eres bueno. Eso es probablemente en lo que has estado pensando desde hace meses, ¿verdad?".

—"Es cierto", dijo Byron. "Usted sabe, mi gerente me aconseja sobre ese asunto. Hasta he escrito algunos comentarios al respecto y he hecho ciertas tareas para corregir mis fallas. Pero el problema es que no tengo el nivel energético que necesito para superar mis fallas, así que termino empeorando y sin producir".

—"Escucha, Byron, deja todas tus actividades a un lado. Olvida todos los problemas que necesitas arreglar, no vamos a arreglarlos en este instante. Queremos una infusión, un estímulo que te saque de tu derrota y te ponga en el lugar de los mejores vendedores. Más tarde, cuando tengamos ese lujo, y estemos aburridos, sin saber cómo liderar una sesión, a lo mejor saquemos a relucir nuestras debilidades, pero por pura diversión. Pero ahora mismo no lo vamos a hacer. Esto es lo que sí vamos a hacer: vamos a concientizarnos de que *no vas a poder ser excelente en nada hasta que no disfrutes de lo que quieres hacer.* Queremos averiguar en qué eres bueno y comenzar desde ahí".

—"Está bien. Una de mis fortalezas es la venta en persona. Me encanta estar frente a mis clientes. Soy malo en el teléfono, con los faxes, con los correos electrónicos, pero en persona tengo la habilidad para cerrar tratos, sé hablar y convencer. Sé expandirme hasta cerrar la venta".

—"Muy bien. Entonces, en lugar de arreglar tus ventas por teléfono y por correo, dejemos eso a un lado por un momento. Solo utilízalos cuando debes hacer la cita. No los uses para vender nada. Lo que queremos es incrementar aquello en lo que eres bueno. Así que ve allá y siéntate con tus clientes. Mantente mejorando cada vez más. No digas que ya eres bueno en eso y que eso es todo. Por supuesto que eres bueno, pero la forma en que vas a ser excelente en este negocio es tomando lo bueno que haces y convirtiéndolo en excelente, así estarás en capacidad de nivelar tus debilidades a nivel de "normalidad".

¿Sabes lo *mínimo* que es el efecto que ejercen las debilidades de una persona sobre su nivel de productividad cuando toma uno a uno todos aquellos aspectos que sabe que se le dificultan y trabaja fuerte en ellos hasta llevarlos de un nivel "subnormal" a uno "normal"? A lo largo de la vida nos han enseñado que cuando tenemos habilidades para algo, estas son innatas. Nuestros padres dicen: "Él es muy bueno en el piano. Debió heredarlo del abuelo, su talento es natural". Así que nos enseñan a no enfocarnos en ese talento porque se cree que dicho talento se mantendrá por sí mismo. La gente nos dice: "Lo que en verdad necesitas es prestarle atención a aquello en lo que *no* eres muy bueno".

Jennifer pertenecía a un equipo de ventas que estábamos entrenando, y ella se sentía un tanto intimidada porque sus compañeros eran personas muy bien presentadas y lucían excelentemente. Ella era más bien tímida, aunque muy inteligente y comprometida, pero no lograba obtener los mismos resultados que los demás en su grupo. Eso la hacía sentirse frustrada y todo lo que intentaba hacer era trabajar en sus debilidades, cada vez que nos reuníamos con ella, lo que primero aportaba era su larga lista de aspectos en los que no era eficiente.

—"Esto es aquello sobre lo que quiero hablar", decía Jennifer. "Aquí están los siete aspectos más importantes en los cuales soy pésima, terriblemente pésima".

—"Deja esa lista a un lado".

—"¿Qué?".

—"No estamos interesados en esa lista. En realidad no queremos conocerla. Tú no estarías aquí si no tuvieras las habilidades básicas necesarias para pertenecer a este equipo. Así que olvídate de esa lista. Esto es lo que nos gustaría hacer: piensa un poquito en el pasado, en tu vida, ¿cuándo fuiste realmente feliz? Si puedes recordar y conectarte con momentos en tu vida en los que te hayas sentido plena, tendremos algunas pistas sobre lo que debemos hacer de ahí en adelante".

—"Está bien... Yo era mesera no hace mucho, antes de venir aquí. Fue en un restaurante en el que al comienzo no me gustaba lo que hacía pero al final me sentía muy contenta. De verdad disfrutaba mi trabajo, era como estar en el cielo, me volví muy ágil en lo que hacía. Atendía a mis clientes muy bien, tomaba sus órdenes y me ganaba unas propinas increíblemente buenas, mejores que las de todos mis compañeros. Era algo increíble, me parecía estar en un baile en el que la música y yo íbamos a la par. Y además, ganaba más dinero que todos los demás".

—"¡Aquí encontramos algo!".

—"Ahora no logro hacer lo mismo", dijo Jennifer. "Tengo cuentas por pagar, hijos que sostener, y no obtengo los mismos resultados, no tengo el mismo dinero, sin importar cuánto me esfuerce. Necesito este trabajo, necesito conseguir algunos clientes importantes, obtener comisiones, sé que puedo lograrlo".

—"Claro que vas a lograrlo, pero no siendo una persona de apariencia descuidada y temerosa. Vamos a trabajar desde tus fortalezas".

—"Mis fortalezas consisten en servir mesas y atender a la gente".

—"¡Sí! Y eso es lo que vas a hacer, esa es la persona que vas a ser, vas a servir, a tomar órdenes, a presentar menús, a explicar de lo que se tratan las comidas, a ser la misma que eras en el restaurante, solo que ahora en el campo de las ventas. Vas a utilizar ese mismo carisma que tenías cuando presentabas opciones y atendías las órdenes. Esa es quien vas a ser, pero en este contexto, vendiendo estos productos. Y cuando estés en el teléfono, vas a comportarte de esa manera, vas a ser alguien que desea saber cómo puede ayudar a su cliente. No una vendedora, nada de eso, usarás las mismas palabras que cuando eras una mesera feliz: '¿Todavía no está listo para hacer su orden? Regresaré en un rato, tómese su tiempo, me gustaría que mirara bien sus opciones y quiero que sepa cuáles son los especiales que tenemos para hoy, así elegirá mejor'. Esa es quien tú eres, esa es la forma en que te agrada ser, también en este trabajo puedes serlo, tienes cómo servir en lugar de vender, ¡te funcionará!".

Dos o tres meses después, Jennifer estaba logrando resultados increíbles. Había hecho un descubrimiento importante. Había comenzado a trabajar desde un punto de vista totalmente distinto al retomar lo que le encantaba hacer, y lo hacía durante el día entero. Retomó aquello en lo que se desempeñaba realmente bien, retomó su fortaleza y pasó de ser buena a convertirse en excelente.

39. Autoconfróntate

Tengo más temor de un ejército de cien ovejas
comandadas por un león, que de un ejército
de cien leones comandados por una oveja.
—TALLEYRAND

Todo lo que te demoras es medio día para actualizarte, organizar, despejar los asuntos pendientes y prepararte para comenzar la semana con una nueva vida, organizada, como la quieres.

Pero todavía te resistes.

Sabes que nunca encontrarás ese medio día para reorganizarte. Además, debes *hacer* tiempo. Los triunfadores hacen tiempo para realizar todo lo que es beneficioso e importante para ellos. Los perdedores se mantienen intentando hallar tiempo libre para ponerse al día.

Cuando escuchas a un gerente pesimista decir: "Lo siento, David. No tuve tiempo para llamarte ayer, estaba atiborrado de trabajo", esa sensación de atiborramiento se le ha convertido en una realidad. Estar atiborrado de cosas por hacer es solo una interpretación de la realidad. Si ese gerente se quedara encerrado en un confinamiento solitario durante cinco años, y alguien le ofreciera un trabajo en el cual él tuviera que hacer muchas llamadas telefónicas y miles de actividades por realizar, ¿le llamaría a eso estar "atiborrado" de trabajo? Con seguridad que lo llamaría estar "maravillosamente ocupado", lo llamaría estar en "el cielo".

Así que ¿de qué se trata? ¿De estar atiborrado o de estar ocupado?

Hace un año, durante uno de nuestros seminarios, una mujer dijo: "Mi trabajo es una total pesadilla, es el infierno en la tierra. No sé cómo me presento a trabajar día tras día. Es una absoluta pesadilla estar allí".

—"¿Qué es una pesadilla?".

—"Recibo llamadas telefónicas todo el tiempo, tengo dos jefes y ambos me dicen lo que debo hacer, tengo un arrume muy alto de correspondencia pendiente, y termino llegando a casa muy estresada".

—"¿Y qué tal si te presentamos a una mujer de Nigeria cuyo esposo murió hace dos años y ha tenido que buscar comida entre los basureros para sobrevivir? ¿Crees que la convencerías de que tu trabajo es una pesadilla? ¿Piensas que a ella le gustaría cambiar su estilo de vida por el tuyo? ¿Sería tu trabajo una pesadilla también para ella?".

—"Oh, no. No para ella. En su caso, sería la mejor de las bendiciones".

—"Entonces, ¿en realidad tu trabajo es una pesadilla? Una pesadilla es solo una pesadilla desde tu punto de vista personal. Es tu percepción, pero puedes elegir otra, si quieres. Tienes la posibilidad de elegir otro trabajo, y hasta otra percepción. Eres libre para escoger".

Disponte a enseñarle a tu equipo cómo autoconfrontarse. Cuando nos cuestionamos nuestra propia manera de pensar, damos paso a nuevos niveles de pensamiento. Comenzamos a lograr otras metas, si tenemos el valor para cuestionarnos a nosotros mismos. Estas son algunas de las preguntas que sería bueno hacernos, para comenzar: ¿Estoy en lo cierto con todo esto negativo que opino? ¿En realidad es tan mala esta oportunidad como estoy pensando? ¿Cómo más podría analizar esta situación? ¿Qué otras opciones tengo para interpretarla? Enseñémosle a nuestro equipo a cuestionarse acerca de sus percepciones negativas.

No te trates con rudeza intentando comprender el caos que atraviesas en algún momento de tu vida. Simplifícalo y te sentirás más empoderado. Cuando Vincent Lombardi fue entrevistado y le preguntaron por qué su equipo tenía el sistema de ofensiva más simple de todos los equipos, su respuesta fue: "Es difícil ser dinámico cuando estás confundido".

40. Lidera con tu lenguaje

La responsabilidad primordial del líder es definir la realidad.
—MAX DEPREE, CONSULTOR DE NEGOCIOS Y ESCRITOR

Trabajamos en alguna ocasión con un grupo de gerentes que tenían a su cargo varios equipos en una compañía plagada de falta de ética. Los equipos se quejaban y se expresaban con un leguaje de víctimas. Pero una vez les sugerimos a los gerentes que usaran diferente lenguaje y vocabulario durante las reuniones, todo comenzó a cambiar. La gente se veía más motivada.

En aras de lograr un giro emocional, los gerentes comenzaron a iniciar sus reuniones preguntando quién quería compartir algún reconocimiento: "¿A quién le gustaría destacar a alguna persona por algún motivo en este momento?", y la reunión comenzaba a dar un giro de reconocimientos, en lugar de convertirse en una sesión de quejas y críticas. Y de repente, el tono de la conversación cambió. En lugar de enfocarse en los problemas y quedarse estancados en ese punto, los líderes aprendieron a decir: "¿Qué oportunidades ven ustedes?", y solo con repetirlo lo suficiente, surgió una dinámica distinta, opuesta a la baja moral que parecía reinar cuando ellos preguntaban: "¿Qué problemas tienen? ¿Qué necesitamos afrontar? ¿A quién culpamos?".

Cuando los líderes comenzaron a preguntar: "¿Qué podemos aprender de esta situación?", los resultados cambiaron de manera más rápida.

—"Tuvimos una semana pesada. Sentémonos y analicemos ¿qué aprendimos de esto? ¿Qué nuevos sistemas es posible implementar? Si esta misma situación vuelve a presentarse, ¿cuál sería la mejor manera de lidiar con ella? ¿Cómo la manejamos más fácil la próxima vez?".

Estos gerentes descartaron el uso del lenguaje de víctima y se volvieron más fuertes al preguntar: "¿Qué queremos? ¿Cuál debe ser nuestra intención? ¿Cuál es nuestra meta? ¿Qué resultado nos gustaría ver?". Cada vez que el lenguaje de víctima era remplazado por un lenguaje intencionado, los resultados eran mejores, entre los cuales estaban:

1. Se redujo el índice de cambio de personal.

2. Disminuyó el ausentismo.

3. La ética mejoró.

4. La productividad aumentó.

Y todo eso ocurrió con el cambio del lenguaje.

Las palabras significan cosas. Las palabras que forman pensamientos, crean cosas. Las escrituras antiguas dicen: "En el principio era la palabra". Y hay versiones modernas de esa verdad. Las palabras hacen que las cosas ocurran. Cambia una simple palabra de lo que digas, y asustarás a un niño todo lo que quieras. Una palabra que infunda temor logra que un niño tiemble y llore. Cambia esa palabra y el niño se sentirá mejor. Las palabras comunican ideas, energía, emociones, posibilidades y temores. Las palabras también tienen poder para asustar a un empleado.

En ocasiones, algunas personas con mentalidad de víctimas intentan convertirse en líderes, pero no lo consiguen porque creen que están obligadas a hacerlo, pero la capacidad de liderazgo no se consigue de esa manera. Liderar es un placer, no una carga pesada. Pensar que *deberías* ser más líder", no hará que lo logres.

Cada vez que alguien con mentalidad de víctima se da cuenta que existe un lenguaje de liderazgo e intenta decir: "Yo debería ser más líder", ¡ese es sencillamente un lenguaje de víctima! Ese pensamiento lleva a esa persona a sumergirse aún más en sus sentimientos de víctima.

—"¿Por qué deberías ser más líder?".

— "Bueno, creo que así le agradaría más a la gente, me aceptarían más".

¿A quién le importa lo que piensen los demás acerca de ti? ¿Qué quieres *tú*?

El liderazgo está basado en una intención personal e interna. Es llevar una vida centrada en la claridad de un propósito. La vida de víctima no está basada en una intención, sino en dejarse ganar de las circunstancias y de las opiniones de los demás. Una víctima está obsesionada con lo que otros piensan.

"¿Qué pensaría mi esposa si yo hiciera eso? ¿Qué dirían mis hijos? ¿Mi jefe? ¡Si me vieran cantando en mi carro? ¿Si la persona que se estaciona junto a mí me ve, qué diría de mí? ¿Qué pensarían los demás?".

Obsesionarte con lo que la gente piense a lo largo del día es la forma más rápida de perder el entusiasmo en la vida. Es la forma más eficiente para perder esa energía vital que requieres para realizar aquello por lo que te sentirías orgulloso. Observa que los niños no parecen tener esa preocupación. Muchos, cuando están haciendo algo que les gusta, parecen olvidarse de quienes los ven, en incluso se olvidan del mundo que los rodea. Simplemente se dejan llevar. Eso hacen los buenos líderes.

41. Usa refuerzos positivos

El líder debe ser optimista. ¿Cómo se sienten tus subordinados
después de una reunión contigo? ¿Se sienten inspirados?
Si no es así, tú no eres un líder.
—FIELD MARSHALL MONTGOMERY

Nadie lo recuerda. Todos parecen olvidarlo. Pero el refuerzo positivo arrasa con las críticas negativas, siempre.

¿Por qué no mantenemos esta verdad presente?

Porque estamos muy ocupados buscando problemas y luego criticando a la gente que los causó. Esa es la forma de "liderazgo" que la mayoría de los gerentes emplea.

Pero ese hábito es una trampa. Y como con cualquier otra trampa, hay ciertos comportamientos que debemos abolir para salirnos de ella. Por ejemplo, sería conveniente que hicieras una pausa antes de enviarle un correo o hacerle una llamada a cualquiera de tus empleados, así podrías pensar por un momento y decidir qué clase de aprecio quieres comunicarle. Es bueno que siempre analices que el refuerzo positivo es poderoso cuando se trata de guiar y ajustar el desempeño de cada persona. Esta es una revelación que sigue sorprendiéndonos porque hemos sido entrenados por nuestra sociedad para identificar lo que está mal y arreglarlo.

Alguna vez, muy sorprendido, Napoleón dijo: "Lo más increíble que he aprendido acerca de la guerra, es que los hombre morirían por sus medallas".

42. Enséñale a tu gente a no apoderarse del poder

A medida que afrontamos el próximo siglo,
los líderes serán aquellos que empoderen a otros.
—BILL GATES

La tragedia de una vida sin empoderamiento se extiende a todos los aspectos del trabajo, a menos que nos encarguemos de cambiar esa situación.

Supongamos que Tina se reporta contigo. Y una de las cosas que ella te reporta es que se siente estresada e incapaz de hacer todo el trabajo que le corresponde. Después de una larga conversación acerca de sus funciones, es claro que Tina no tiene metas, planes ni compromisos. Por lo tanto no hay duda de por qué la gente se siente libre para desperdiciar su tiempo, gente que ni siquiera a ella le importa. Pero ella no sabe decirles que no porque no le ha dicho que sí a nada más.

Tú le dices: "El mayor beneficio de planear y tener metas es que tu vida es tuya, estás tú al mando de ella, te permite enfocarte en lo más importante para ti, así que no estarás de un lado para otro durante la semana cantando como la canción en Broadway: 'Yo soy solo alguien que no sabe decir que no'".

Y empiezas a cantarle esa canción. Y ella te ruega que no sigas cantándosela.

—"Bueno, ¿qué debo hacer para cambiar eso?", te pregunta Tina. "¿Cómo aprendo a decir que no?".

—"Hazte estas preguntas: ¿cuáles son mis metas más importantes? ¿Cuánto tiempo tengo para cumplirlas? ¿Quiénes son las personas más importantes en mi vida? ¿Cuánto tiempo les dedico?".

Escuchamos muchas quejas de gente que está en el mundo de los negocios y que va por un estilo de vida muy similar.

Es como si necesitaran de miles de distracciones. Describen su vida como si fuera un desfile de distracciones y requisitos provenientes de otras personas, de gente llenándoles la mente todo el tiempo preguntándoles a cada instante: "¿Tienes un minuto? ¿Tienes un minuto?".

Ciérrales la puerta a todos ellos. Esas constantes interrupciones en tu mente te producen una vida en la que no has aprendido a decir que no. Una vez aprendas, enséñaselo a tu equipo. Muéstrales la importancia que esto tiene. El enfoque de tu equipo dependerá de su voluntad para desarrollar y fortalecer ese músculo pequeñito al cual le llamamos "el músculo para decir no". Si ellos nunca lo usan, no les funcionará cuando llegue el momento necesario porque está demasiado débil. Cualquier petición de otra persona se convertirá en su misión.

La clave para enseñar a tu equipo a desarrollar este músculo del no es aprendiendo primero a desarrollar el músculo de decir que sí a todo lo que es importante para ellos, y luego no a lo que no lo sea, hasta que se haga más y más fácil y natural decir que no. Ayúdales a verbalizar lo que ellos quieren, y haz que lo digan en voz alta.

"Tina, primero necesitas saber lo que quieres, así tendrás más posibilidades de conseguirlo. Es fácil decirle no a algo, si ya le has dicho sí a algo mejor".

43. Piensa como pensarían tus clientes

Existe solo un jefe: el cliente.
—SAM WALTON

Nuestros clientes son el origen, la fuente primordial, de todo el dinero que tenemos y de lo que poseemos. No es la empresa la que nos paga, sino el cliente. La empresa es solo el medio por el cual nuestro cliente nos da el dinero. Cuando tomamos vacaciones, es importante darnos cuenta de que *es nuestro cliente quien ha pagado por ellas.* Cuando enviamos nuestro hijo a la universidad, ¡es con el dinero de nuestro cliente!

Sam Walton construyó su imperio de Wal-Mart sabiendo que siempre tenía un jefe: el cliente. "Y el cliente tiene siempre derecho a despedir a cualquiera en la compañía", decía Walton, "desde el presidente para abajo, con el simple hecho de hacer sus compras en otro lugar".

¿Por qué no comenzar a motivar a nuestros empleados de acuerdo con esa verdad? ¿Por qué no mostrarles el gusto de tratar al cliente como a un verdadero amigo? Esa podría ser, al fin de cuentas, nuestra mayor ventaja frente a la competencia.

Sin nuestra motivación como líderes, el cliente tiende a salirse del radar de la empresa. Sin nuestra participación para preguntarles, y de manera respetuosa animar a nuestros clientes a que nos cuenten acerca de nuestros empleados, los clientes podrían convertirse en una "molestia" o en "un mal necesario" para nuestro personal.

En nuestro deseo por comprender y establecer lazos con nuestro equipo de trabajo, podemos caer en la conducta de sentir empatía y simpatizar con las historias de horror que nuestra gente nos cuenta para probar lo difícil que es complacer a la clientela, qué tan terribles son algunos clientes y cuánta ventaja quieren tomar de nosotros, por qué el teléfono suena todo el día con gente quejándose, mientras nosotros desconocemos el hecho de que ese tipo de empatía podría lograr que nuestros clientes sean tratados de forma fría, estúpida e indiferente.

¡Esto desvirtúa todo el propósito de este negocio! Y las consecuencias podrían ir aún más allá: podrían ser la causa indirecta del problema de muchos negocios. El principal propósito de tu negocio es ocuparte tanto de servirles a tus clientes, que ellos conviertan en hábito el hecho de volver a tu negocio y comprar más y más cada vez. Pero esto solo ocurrirá cuando de manera consciente tu gente sepa construir una relación agradable con la clientela, cuando ellos lo hagan de una manera consciente, creativa, inteligente, estratégica, agraciada y gentil. Construir una relación no es cosa fácil porque va en contra de nuestros hábitos más profundos. Y nunca ocurrirá si tus empleados ven al cliente como "una molestia... alguien que llama para chequear nuestros precios... solo para importunar... alguien que interrumpe justo cuando iba a ser la hora del descanso... alguien tratando de devolver algún artículo... o desafiando mis años de experiencia... algún idiota... un imbécil...".

La razón para toda esta clase de irrespetos, e incluso la posibilidad de que nuestros clientes aparezcan como gente desquiciada para nuestros empleados, es que los líderes patrocinan todas estas conductas. En otras palabras, la falta de liderazgo tuyo y mío. Una mala actitud hacia el cliente, por lo general procede de los altos mandos. Nosotros, los líderes, nos encargamos de ello, ya sea haciendo las preguntas adecuadas que evalúen a los empleados, o no haciéndolas. Si yo soy el líder, quiero hacer preguntas que respeten la inteligencia de los demás, quiero tratarlos como si fueran sicólogos graduados, expertos en la conducta del cliente, en los patrones de pensamiento de la clientela —porque lo son. Quiero saber cómo podemos construir mayor confianza en el cliente. Quiero preguntar cómo convertir una aparente llamada telefónica en una relación cálida que termine en que el cliente quiera comprar de nuestros productos sin siquiera importar el precio. Quiero preguntar cómo hacer para llevar a nuestra fuerza de ventas a ganar la confianza y el negocio repetitivo de los clientes. Quiero pedir consejo y comprender la sicología del cliente. Quiero hacer las preguntas que motiven a mis propios líderes a comenzar a pensar en términos de clientela para toda la vida, en lugar de simples transacciones esporádicas.

A lo mejor comienzo una reunión con mi equipo diciendo: "Supongamos que ustedes son un cliente potencial y llaman a mi negocio. Digamos que son nuevos en la ciudad y no tienen hábitos de compra todavía en esta categoría de productos que nosotros ofrecemos. Yo soy el tercer negocio al que ustedes han llamado. Si yo estoy estresado y de mal humor, y simplemente doy la información que ustedes quieren sobre un producto que les causa curiosidad, y yo cuelgo, es muy probable que los haya perdido para siempre. ¿Qué significa eso? ¡Una venta de $69 dólares no nos llevará a la quiebra!

Pero considera el efecto de por vida —e inclusive en los próximos 10 años. ¿Qué ocurriría si el cliente gastara hasta $400 dólares anuales en esta categoría, pero gracias a la mala atención de mi llamada, se une a la competencia? (Mucha gente va a ciertos almacenes porque se siente cómoda de ir allá). En 10 años, ese cliente habrá gastado $4.000 dólares. Ese es un dinero perdido en menos de un minuto en una pésima llamada telefónica. Si alguien pierde de su registradora $4.000 dólares en un minuto, ¿esa persona estaría trabajando con nosotros?".

Finalmente, después de todo, yo no quiero ser demasiado arrogante, ni demasiado profesional, ni muy temeroso de lo que puedan pensar de mí si incluso utilizo la palabra "amigo" de vez en cuando en medio de mis preguntas acerca de cómo tratar mejor a nuestra clientela. ¿Cómo trataríamos a uno de nuestros clientes si fuera un amigo muy querido?

¿Por qué la palabra "amigo" es tan poco empleada en el mundo de las relaciones de negocios? ¿Son los amigos realmente mejores que los clientes? ¿Tu mejor amigo pasa con frecuencia a buscarte y a darte dinero para ayudarte a pagar tu hipoteca? ¿Saca tu mejor amigo la chequera después de tomar una cerveza contigo y te dice: "Esto es para ayudarte con la cuenta dental de tu hija?".

Nuestros clientes sí lo hacen.

44. ¿El mejor momento? ¡El de los retos!

Es muy difícil cuando lo analizas, y muy fácil cuando lo haces.
—ROBERT PIRSIG, FILÓSOFO Y ESCRITOR

Es muy importante utilizar tus mejores momentos para enfrentar tus más grandes retos. También puedes no querer hacerlo. A veces los retos encuentran su propia vía para escabullirse de tu vista. Pero cada vez que te sea posible, intenta hacer *coincidir* tu momento biológico (emocional, físico, mental) con un gran reto o evento importante para ti.

Muchos líderes están en su mejor momento durante sus primeras horas de la mañana, otros en la tarde, cualquiera que sea tu mejor hora para brillar, no la pierdas en trivialidades que poco te benefician. Invierte tu energía y atención máxima en ese gran reto que has estado posponiendo.

Muchos confundimos placer con felicidad —encontramos gran placer en pasar nuestro mayor momento de productividad en pequeñas cosas, desperdiciando la energía en insignificancias. Posponer lo importante hasta cuando ya estamos agotados y de mal humor, es la forma segura de dejar de hacer lo realmente importante.

Analiza con anterioridad cuál es tu mayor reto y planea afrontarlo hasta haberlo terminado de enfrentar y solucionar, dando de ti tus mejores recursos y energía. En eso debe consistir la mayor felicidad del líder verdaderamente profesional. ¡Es un sentimiento de haber logrado tu meta cuando decidiste afrontarla!

El brillo en tus ojos será suficiente motivación para invitar a los demás a seguirte.

45. Usa bien esos 10 minutos

*El hombre no debe permitir que el reloj ni el calendario
lo enceguezcan frente al hecho de que cada momento
de la vida es un milagro y un misterio.*
—H.G. WELLS

El filósofo contemporáneo, William Irwin, fue interrogado acerca de lo que él pensaba que era el secreto del liderazgo efectivo. Su respuesta fue: "Aprende a usar 10 minutos de manera inteligente. Te reportará enormes dividendos".

Con frecuencia, lo que separa a un líder efectivo de uno inepto es esto: la habilidad para usar 10 minutos de la manera más sabia.

El comentario de Irwin está colgado en la pared de nuestra oficina, recordándonos que realmente ayuda tener frases motivantes y cortas a la vista. Es una buena manera de mantenerte despierto y atento a tu potencial, en especial cuando solo tienes 10 minutos antes de tu siguiente cita. ¿Los usarás sabiamente? ¿O solo estarás matando el tiempo?

Una de nuestras visitas recientes a la oficina de un líder muy exitoso fue impactada por el hecho de notar esta frase en la pared detrás de su escritorio —además de ser una buena inspiración para utilizar al máximo 10 minutos de tiempo:

Las palabras más importantes en el idioma inglés:

Las 5 más importantes: *Estoy orgulloso de ti (I am proud of you)*

Las 4 más importantes: *¿Cuál es tu opinión? (What is your opinion?)*

Las 3 más importantes: *Por favor (If you please)*

Las 2 más importantes: *Gracias (Thank you)*

La más importante: *Tú (You)*

Y en ocasiones ese aspecto poderoso del liderazgo que no hemos podido atender por falta de tiempo, puede resolverse en esa ventana de 10 minutos.

46. Descubre en qué quieres enfocarte

La disciplina es el puente entre las metas y los logros.
—JIM ROHN, ESCRITOR Y MOTIVADOR

La mayoría de los gerentes, especialmente aquellos que tienen dificultades en idear un plan, ubica su prioridad para hacer planes en el número seis o siete de su lista de asuntos por realizar. La mayoría de ellos ubica los siguientes puntos por encima de su prioridad de hacer planes:

1. No agredir los sentimientos de los demás.

2. El compromiso a estar siempre ocupado.

3. Apagar incendios y resolver problemas.

4. Explicar y justificar el desenvolvimiento de los empleados, arriba y abajo en la escalera corporativa.

5. Ser aceptado.

Conocimos a un consultor brillante que ingresó a una compañía que estaba atravesando por un periodo muy difícil a nivel financiero, y él la sacó al otro lado. Lo logró alterando las prioridades existentes. Lo primero que hizo fue instalar tableros por todas partes de la organización con el fin de anotar los resultados diarios en el área de ventas y en todas las actividades.

En el pasado de la compañía, las cifras habían sido una vergüenza, tanto que se daban a conocer a manera de susurro al fin de cada mes. Si los empleados no estaban obteniendo buenos resultados, el gerente empleaba todo su tiempo escuchando las razones por las cuales el equipo obtuvo tan pésimos logros.

El equipo de ventas estaba conformado por buenas personas, pero lo que estaban aprendiendo a vender eran sus propias *excusas*, no los productos de la empresa. Todas las reuniones empresariales se enfocaban en "circunstancias, aspectos y situaciones que los alejaban de triunfar".

El otro día hablamos con el gerente de operaciones de una empresa que estaba cerca de fracasar en alcanzar sus proyecciones.

—"No estamos desarrollando un plan", dijo él.

—"¿Por qué no?".

—"Debido a la economía, el clima, la guerra, la forma en que las nuevas generaciones están siendo educadas, la falta de candidatos para ocupar las posiciones de la empresa, la disfunción empresarial, el declive de la industria, las regulaciones gubernamentales, la competencia, la falta de presupuesto para entrenar al equipo de ventas".

—"Fuera de todo eso, ¿qué más se interpone en la vía?".

A medida que participamos en las reuniones de esa compañía, observamos que las reuniones de los líderes eran acerca de todos esos temas. Todas las reuniones en enfocaban en los obstáculos que impedían el éxito.

Aquello en lo que te enfocas, crece. Enfócate en las cifras, y estas también crecerán.

47. Procura un corazón tierno

Él solo está aconsejando en la vida a aquellos
cuyo corazón es tierno, su sangre es cálida,
su cerebro es ágil, y su espíritu está en paz.
—JOHN RUSKIN, FILÓSOFO Y ESCRITOR

La gente que verdaderamente ha triunfado en el área de liderazgo y las ventas transforma la totalidad de esta actividad y la aleja del concepto de administración y ventas (aunque tengan un alto respeto por esto) y la convierte en el acto diario de construir relaciones.

Ellos siempre piensan en términos de sus relaciones con la gente que los rodea: ¿cómo hago para fortalecerlas? ¿En qué puedo ayudarles? ¿Cómo aporto hoy a su vida? ¿Cómo les muestro mi grado de compromiso con ellos? ¿Qué debo hacer para que estén más contentos? ¿De qué manera esta información que tengo les va a facilitar su trabajo? Siempre hay una expansión continua del lado amistoso de las relaciones interpersonales. Un líder sabe que la comunicación resuelve todos los problemas. Evitarla, los empeora.

Ningún acuerdo de liderazgo se ha logrado sin que haya una conversación, así que tener tus conversaciones es un aspecto vital en tu labor de líder. Procura tener muchas conversaciones que tengan un tono cálido y cómodo, permitiendo que te lleven a lograr tus metas máximas.

El maestro en enseñanza, Lance Secretan, ha escrito 13 libros sobre liderazgo, y él sintetiza todos sus descubrimientos de esta manera: "El liderazgo no consiste tanto en técnicas y métodos como en abrir tu corazón. Liderar consiste en inspirar —a sí mismo y a los demás. Un liderazgo efectivo consiste en experiencias humanas, no en procesos, no es una fórmula ni un programa específico, es la actividad humana que surge del corazón propio y considera los corazones de otras personas".

48. Enseña a tu equipo a culminar sus metas

Nada es tan fatigoso como cargar eternamente
con algo que no terminamos de hacer.
—WILLIAM JAMES

Si tu gente se siente más y más quemada y fatigada, está en ti ayudarles a redireccionar y encausar sus acciones hasta llevarlos a completar sus proyectos.

Una vez asistimos a una conferencia de Cheryl Richardson llamada "Coach U" en Fénix. Era la primera vez que asistíamos a una de sus reuniones, y no sabíamos nada acerca de ella ni de "Coach U", pero estábamos interesados en la conferencia.

Richardson se puso de pie y nos dijo: "¿Podrían hacer una lista de las 10 metas que tienen sin terminar y que necesitan completar en su vida?".

Claro que todos lo hicieron, y nosotros también. Luego nos dio un ejemplo de cómo hace ella para entrenar a sus clientes. Relató que una vez fue a verla un masajista terapéutico y ella le preguntó: "¿Qué problema tienes?".

El cliente le comentó: "Necesito más clientes". Ella le propuso: "Esta bien, pero quiero que te sientes y escribas los 10 proyectos en tu vida más importantes, y que no has culminado". El cliente los escribió.

Luego ella prosiguió: "Ahora quiero que te comprometas a completarlos".

El masajista le dijo: "Lo haré, pero esa no es la razón por la cual vine a verte. Estoy aquí porque quiero tener más clientes".

Cheryl Richardson le respondió: "Ya lo sé. Haz todo esto y tendrás tu clientela". El cliente le preguntó: "¿Cómo? Esto no tiene nada que ver con conseguir más clientes".

Cheryl le explicó: "De hecho, todo lo que está incompleto en tu vida es a lo que yo llamo *desperdiciador de energía*. Y es lo que te frena de tener energía para conseguir más clientela".

"Eso no tiene ningún sentido para mí". Cheryl le contestó: "Yo solo hago esto para ganarme la vida. Yo aconsejo muchos clientes a quienes les ocurre la misma situación. ¿Estás dispuesto a intentarlo? Si no, olvidémonos de esta relación".

"Está bien, supongo. De todas maneras necesito terminar esos asuntos". Así que el hombre hizo el compromiso de finalizar 3 de las 10 cosas que escribió en su lista antes de la siguiente reunión.

La semana siguiente, el terapeuta apareció en su consultorio y le dijo: "Hice mi tarea". Entonces Cheryl le preguntó qué había pasado. "¡Sorprendente! Incluso antes de que se terminara la semana, tres personas me llamaron de no sé dónde y llené mi agenda de trabajo".

Y Cheryl le dijo: "Así es como funciona".

Nunca olvidamos esa lección, y la hemos enseñado muchas veces desde ese entonces. No se trata simplemente de que tu equipo tiene una cantidad de asuntos sin finalizar, sino de que todos esos pensamientos preocupantes *nos roban energía*.

Los asuntos pendientes son agotadores y acaban con la vitalidad y la productividad. Ayuda a tu equipo a finalizarlos y te sorprenderán sus logros.

49. Evalúa tu enfoque

Nos ganamos la vida con lo que ganamos,
pero la vida se compone de lo que damos.
—WINSTON CHURCHILL

Disfrutarás realmente motivando a los demás, si comienzas a pensar que tu vida es una ecuación matemática. Comprendimos lo divertido y benéfico de esta verdad cuando nuestro buen amigo y gerente ejecutivo, Duane Black, resolvió esa ecuación frente a una buena cantidad de gerentes que se reunió a escucharlo.

Funciona así: cuando eres positivo (y escribió el signo +) le *agregas* a cualquier conversación o reunión de la que haces parte. Eso es lo que logra el ser positivo, que agregas.

Cuando eres negativo (-), le *restas* a la conversación, a la reunión o a la relación de la cual haces parte. Si eres negativo una suficiente cantidad de veces, le restas tanto a la relación, que ya no queda nada más de ella. Es cuestión de matemática simple. Es la ley del universo aplicada a la vida: lo positivo agrega, lo negativo resta.

Así como en las Matemáticas, cuando aportas algo negativo, el total se disminuye. Agrega una persona negativa a tu equipo y el entusiasmo (además de la productividad y la ganancia) del equipo se verán disminuidos.

Cuando eres un líder positivo con pensamientos igualmente positivos acerca de la gente y del futuro, estás *agregando* algo a toda persona con que hablas. Le aportas algo de valor a todo acto de comunicación, incluyendo cada correo y mensaje de voz que sea positivo, todo le agrega algo a la vida de la persona que los recibe. Porque positivo (+) siempre significa agregar.

Y es más profundo que eso. Si tienes pensamientos positivos a lo largo del día, le estás agregando algo positivo inclusive a tu propia experiencia de vida. Estás trayendo algo positivo a tu espíritu. Tus pensamientos negativos te restan de la experiencia de estar vivo, te roban tu energía.

Piensa en esto: "Me gusta esta forma de pensar, su simplicidad. Ahora sé cómo ponerla en práctica en mi diario vivir. Cuando estoy experimentando pensamientos negativos sobre mi equipo o sobre mi lista de asuntos pendientes, sé que es tiempo de tomarme un descanso, reorganizarme y refrescarme. Es tiempo de relajarme, cerrar mis ojos y meditar en mi propósito y mi misión. Es el momento para desacelerar y tomar aliento. Necesito tomar muchos pequeños descansos como este durante el día y esta práctica cambiará mi vida para bien. Me fortalece y me hacer sentir más energético que nunca antes".

Tu fortaleza, así como la energía que demuestras, motivan a los demás. O, como Carlos Castañeda dijo: "Tenemos la opción de hacer nuestra vida miserable o fuerte. Se necesita la misma cantidad de trabajo para lograr las dos cosas".

50. Comprométete en la causa

Decidir estar al nivel elegido es tomar responsabilidad
de tu vida y estar en control de ella.
—ARBIE M. DALE, SICÓLOGO Y ESCRITOR

Los líderes que se posicionan de su liderazgo motivan de manera más efectiva que aquellos que se ven a sí mismos como víctimas de la estructura corporativa y de los mandos más altos. A eso se debe que hayan tomado la decisión consciente de *vivir al nivel elegido*. A lo largo de su jornada, su equipo de trabajo constantemente los oye hablar de "participación activa" y siempre están repitiendo: "Cuenten conmigo para eso".

La razón por la cual esta clase de líderes decide actuar de esta forma no es porque ellos estén tratando de congraciarse con la empresa ni granjearse a alguien. De hecho, ¡a ellos les tiene sin cuidado cuál sea la empresa para la que trabajan! De todas maneras ellos se han propuesto jugarse el todo por el todo por su trabajo porque su vida se vuelve más interesante, su profesión se convierte en una mejor experiencia y es más divertida. Ya sea que se trate de un juego de voleibol en un picnic o del proyecto más novedoso de la empresa, para ellos *es más divertido* comprometerse y participar a fondo en cada actividad empresarial.

Digamos que la compañía ordena que su personal se agrupe en equipos experimentales. El gerente con mentalidad de víctima diría algo como: "Yo prefiero esperar y mirar. ¿Qué es todo eso nuevo que están tratando de implementar? No es suficiente con el hecho de que tengo que ganarme la vida trabajando, sino que ahora también voy a tener que participar en todo este juego. ¿Qué necesidad hay para estos jueguitos ridículos de trabajo en equipo? Yo no me voy a inmiscuir en eso todavía, voy a esperar a ver qué sucede. Yo le doy cinco años a este famoso experimento".

Mientras tanto, el líder que se empodera de su posición diría: "Bueno, yo no voy a juzgar este asunto. Es una pérdida de energía mental. Mejor participo con la mejor actitud. ¿Por qué? ¿Es que pienso que vale la pena participar? No, no me interesa si vale la pena o no, lo hago porque me siento más energético, mi trabajo se vuelve más interesante y merezco estar contento con mi trabajo, además sé por experiencia que cuando uno se compromete con algo, las cosas funcionan".

El verdadero liderazgo inspira el deseo de participación, el cual no está relacionado con el hecho de que la compañía merezca o no la intervención. Es más cuestión de un compromiso personal por tener una gran experiencia de vida. Los verdaderos líderes no personalizan negativamente a las empresas para las cuales trabajan.

Tú representas un enfoque de vida saludable, y cuando otros ven ese ejemplo en ti, se sienten motivados a imitarte al ver que funciona. En los deportes a veces es más fácil ver el valor que tiene el ejemplo. Parece obviamente razonable para un atleta decir: "No me importa si juego en el equipo de una liga menor o mayor, lo que me importa es dar todas mis capacidades a la hora del juego". En el mundo laboral, sin embargo, esa sería una posición muy extraña de adoptar, pero así mismo se perciben los líderes automotivados: extraños.

Los verdaderos líderes no esperan a que la empresa les dé su lugar de liderazgo, ellos lo toman sin esperar a que les den una causa interesante en la cual trabajar. Ninguna compañía está interesada en ponerse a la altura de un gran individuo, es más factible que él siempre sea más creativo que la compañía para la cual trabaja.

Martin Luther King dijo: "Si un hombre es elegido para barrer una calle, él debe barrerla como Miguel Ángel hacía sus obras de arte, como Beethoven componía su música, como Shakespeare escribió su poesía".

51. Primero, relájate

Un capitán asustado conforma una tropa asustada.
—LISTER SINCLAIR, DRAMATURGO Y PRESENTADOR

El destacado profesor de música y motivador de artistas, Rodney Mercado, tenía una sencilla receta para obtener éxito. Él decía: "Hay solo dos principios que se requieren para interpretar tu música de forma grandiosa o para vivir de manera formidable: concentración y relajación. Eso es todo, eso es todo".

Scott Richardson recuerda esta frase y lo que le contestó a Mercado: "¿Qué? ¡Eso no tiene nada que ver con música!".

—"Sí tiene todo que ver con música".

Y su forma de enseñar relajación era: "Necesitas tener el máximo de relajación. Por ejemplo, si quieres tocar más rápido, Scott, tienes que relajarte más. Si quieres tocar más duro, Scott, tienes que relajarte más. Si quieres que haya más sonido, necesitas relajarte más".

Hasta este punto en mi vida, sonaba como a alguien diciendo: "Bueno, si quieres convertirte en un vaquero, ve a Harvard". No tenía ningún sentido, parecía una contradicción.

¿No suena como una contradicción? Si vas a motivar gente, ¿no quisieras que todos estuvieran hiperactivos y acelerados? Eso era lo que yo creía: ¡encender el fuego! ¡Sacar toda la energía de cada persona!

Así que hasta este punto de mi vida, si quería tocar más rápido, me ponía hiperactivo y tenso e intentaba con más ganas. En cualquier aspecto de mi vida en el que estuviera tratando de obtener algo más, me ponía más tenso de tanto intentarlo.

Pero Mercado dijo: "Voy a interpretar una pieza y quiero que me escuches por un momento".

Eso hice. No recuerdo el pasaje que tocó, pero casi revienta las cuerdas del violín. Fue algo virtuoso, pero sonó como si él fuera a hacer que las cuerdas volaran en pedazos. Había demasiado sonido y movimiento en escena. Yo estaba asombrado.

—"Ahora, Scott, quiero que pongas tu brazo sobre mi antebrazo a medida que toco este pasaje y sientas lo que ocurre mientras toco".

Cuando puse mi brazo encima de su antebrazo y él tocaba (y dicho sea de paso, estaba tratando de mantener mi brazo porque el suyo volaba), yo estaba paralizado al sentir que su brazo estaba totalmente relajado. ¡No había ninguna tensión en sus músculos!

Y de repente, ¡lo entendí!

Y *entenderlo* cambió todo mi concepto de cómo interpretar el violín, pero además transformó mi concepto sobre *lo que yo estaba haciendo con mi vida*. Había estado tensionado y sobrecargado en busca del éxito, en lugar de relajarme.

La misma fórmula funciona para un velocista en la pista de entrenamiento. Lo que la mayoría de ellos hace cuando trata de correr más rápido es poner más esfuerzo en su carrera. Y no se dan cuenta, pero tensionan sus músculos y sus tiempos no son tan buenos. Intentar más duro ¡los hace ir más despacio! Los velocistas no se dan cuenta que están en su máximo de relajación durante sus momentos más veloces.

Tuve la oportunidad de experimentar esto de primera mano durante un entrenamiento en una clase de educación física en la pista de Brigham Young University. Pensé que me encontraba en muy buenas condiciones atléticas y reté a un compañero que ni siquiera estaba dentro de la pista. El hombre escasamente me ganó, pero corrió tensionado y fuera de control, así que llegó a la meta y cayó sobre ella en mal estado. Después conocí a otro compañero que era uno de los mejores velocistas de BYU y también lo reté a competir. Esta vez mi compañero arrancó y terminó venciéndome por una ventaja bastante amplia, gracias a que puso en práctica la teoría del profesor Mercado: total relajación, absoluta fluidez, y mientras, yo quedé acabado ante este competidor.

De modo que ese principio es una estrategia que he adoptado cada vez que me encuentro realizando cualquier actividad. Por ejemplo, si estoy hablando frente a un jurado, o en una reunión de mi empresa, o en algún escenario o grupo, tan contradictorio como pueda parecer, actúo lo más relajado posible. Porque, ¿qué es lo que hace la mayoría de la gente? Ponerse nerviosa y tensionada, y el único efecto que esto logra es que el desempeño disminuya. Pero gracias al entrenamiento que recibí de Mercado, cada vez que empiezo a sentir que me estoy tensionando, sé que tengo que calmarme y tomar las cosas con calma y relajarme. Sus palabras siempre vienen a mi mente: "Si comienzas a temblar, solo hay una forma de hacerlo: estando tenso. Si estás relajado, no temblarás. Si ves que has empezado a temblar, esa es la mejor señal de que no estás relajado".

Hemos atendido a infinidad de convenciones y retiros en los que los gerentes ejecutivos dañan por completo la oportunidad de motivar a su auditorio cuando se paran frente al podio y leen nerviosos su discurso, o hacen una charla breve y densa que deja a todo el mundo despistado. Un vicepresidente de un reconocido banco, nos dio su opinión acerca de la intervención de uno de sus gerentes, después de haberse dirigido a un grupo de 200 ejecutivos de mucha experiencia durante una conferencia anual:

—"¿Lo escucharon? ¿Lo vieron? Quiero decir, ¡esperamos todo el año para escucharlo y todo lo que nos dijo fue ese corto, nervioso y memorizado discurso! ¡Como si ni siquiera deseara tomarse la molestia de decirnos alguna cosa!".

—"Se veía que estaba nervioso durante su discurso".

—"¡Eso es a lo que me refiero! Para él, su discurso era algo a lo que se sintió obligado, era obvio que no quería hacerlo así que se enfocó en sí mismo y en la forma más fácil de hacerlo".

—"Era de esperarse, él no es un conferencista profesional".

—"Bueno, si él va a estar dirigiendo una compañía tan importante y va a pedirnos que cumplamos la metas que él quiere, ¡más le vale que aprenda a ser un buen conferencista público! Porque no solo se trata de él, también se trata de nosotros. Creo que merecemos más respeto, alguien que nos hable, y quiero decir, que en realidad nos hable, que lo haga desde el corazón, fuerte y seguro, con pasión y sin tantas notas escritas".

—"Y entonces, ¿cómo se siente usted en realidad acerca de ese discurso?".

—"Siento que pasó al frente con una actitud que no lo hace merecedor de liderar esta empresa porque ha dejado ver que se niega a ponerse a sí mismo en la línea de fuego. Nos habría inspirado mayor motivación si hubiera llamado a decir que se disculpaba por no asistir porque estaba enfermo".

Si te encuentras en una situación en la que tienes que hablar frente a tu grupo de trabajo y te sientes tenso, como que las palabras no te fluyen del corazón, practica y relájate. Si las piernas te empiezan a temblar, no te preocupes, tu cuerpo te está dejando ver que no estás relajado. Y si lo estás, ya no temblarás, es físicamente imposible. Una vez te relajes, te convertirás en un mejor conferencista, Así que practica, no solo el discurso que has preparado, practica también cómo relajarte.

52. No te acostumbres a renunciar

La mayoría de la gente triunfa porque se ha decidido
a triunfar. A veces la gente de capacidades mediocres alcanza
grandes metas porque no sabe cuándo renunciar.
—GEORGE ALLEN, ENTRENADOR DE FÚTBOL

Todos los seres humanos contamos con una cierta partecita en el cerebro, un tanto desconocida, a la que podríamos llamar: palanca para renunciar. Algunos, impulsados por un viejo hábito a lo largo de la vida, mueven esa palanca al primer indicio de frustración. Su entrenamiento se hace difícil, así que mueven la palanca para renunciar y se van a casa. Para otros, las llamadas que han hecho durante el día han sido frustrantes, entonces prefieren renunciar e ir a tomarse un café con un compañero de trabajo durante dos horas de empático negativismo.

Todos tenemos esa palanca para renunciar; pero no todos lo sabemos.

Aprende a conocerla, observa las veces que tú la has usado. No vas a renunciar, ni dejarás de hacerlo hasta que no te deshagas de esa palanca. El ser humano está diseñado como cualquier otro animal, para persistir hasta que alcanza su meta. Tan solo observa lo que los niños son capaces de hacer para obtener lo que quieren y te darás cuenta que dentro de nosotros existe una persistencia innata.

Sin embargo, en alguna parte del camino aprendimos cómo usar esta palanquita. Algunos comenzamos a usarla después de una frustración muy severa y luego antes frustraciones medianas, hasta que por último la utilizamos inclusive ante la más mínima incomodidad. Renunciamos ante todo.

Si no hubieras caído tan rápido en el hábito de mover esa palanca, es muy probable que hubieras alcanzado cualquier meta que te hubieras propuesto. No habrías renunciado a tu equipo, habrías alcanzado tu meta de ventas mensual, habrías incluso perdido todo el peso que siempre has deseado perder. En fin, tendrías todo lo que te hubieras propuesto, si no hubieras jalado la palanca.

La palanca para renunciar es una herramienta en la que puedes enfocarte en aprender a usarla y hacer que funcione a favor tuyo, y no en tu contra. Pero ya sea que la uses de una manera o la otra, es solo un hábito que ha sido malinterpretado como falta de fuerza de voluntad, de coraje o deseo, pero lo único cierto es que es un hábito, y como todo hábito, es remplazable por otro hábito.

Haz que se te convierta en un hábito no tirar de la palanca para renunciar. No renuncies sin haberle dado tiempo al proceso que estés haciendo, no renuncies a tus habilidades de líder ni a las de tu equipo de trabajo. Entre menos renuncies, más motivante serás.

53. Lidera con entusiasmo

Sin entusiasmo, nada grandioso ha sucedido jamás.
—RALPH WALDO EMERSON

El mundo entero es un escenario. Tú eres un gran actor en ese escenario y cuando sea tu turno de aparecer en escena, hazlo con entusiasmo, en especial si tienes cómo motivar a quienes te rodean. Si tienes algo de qué convencerlos, para comenzar, muestra gran entusiasmo por lo que tienes que decir. Cuando tus empleados te respondan, muéstrales entusiasmo, brilla, luce radiante, irradia liderazgo y soluciones, esfuérzate, lleva la situación a un mayor nivel.

Cuando estés listo para involucrar a tu equipo, no desfallezcas... recuerda que estás *actuando* con entusiasmo. Eres un actor, y uno bueno. El entusiasmo es contagioso y a la gente le encanta estar rodeada de entusiasmo. Los hace sonreír y estremecerse... Hasta puede hacerlos reír ante el placer de tu dinamismo.

Muchos gerentes cometen el error de no actuar con entusiasmo, sino que deciden actuar con un comportamiento reservado, relajado y "profesional", pero no necesitan *actuar* "como profesionales" porque *son* profesionales. Lo hacen más bien porque están asustados (de la manera en que están afrontando la situación) y creen que si actúan relajados, estarán a salvo.

Hablamos con Jeremy acerca de una charla que le propusimos que hiciera frente a sus subalternos: "Te veías un poco menos que entusiasmado sobre el nuevo sistema de comisiones, Jeremy".

—"¿En serio? No me di cuenta de eso".

—"Ese es el punto".

—"¿Cómo así?", preguntó Jeremy.

—"Sí. No te estás dando cuenta de tu falta de entusiasmo frente a tu grupo porque estás eligiendo no ser consciente de ello".

—"¿De qué manera estoy eligiendo hacer eso?".

—"Decidiendo ser menos que entusiasta".

—"Pues yo no lo creo, no me parece que estoy haciendo ninguna clase de elección", dijo Jeremy.

—Tú hablas español, ¿no es cierto, Jeremy?".

—"Sí, yo soy bilingüe. Eso me ayuda con los clientes".

—"¿Te diste cuenta de que le diste tu charla en inglés a tu equipo? ¿Fuiste consciente de eso?".

—"¡Claro que sí!".

—"¿Y tú elegiste hacerlo así?".

—"¡Claro que yo lo elegí! Todo el grupo habla en inglés. ¿Qué me estás queriendo mostrar?", preguntó Jeremy.

—"Tu elección de hablar en inglés fue tan evidente y definitiva como tu elección de hablar sin entusiasmo. Hiciste una elección igualmente clara respecto a ser o no ser entusiasta que cuando elegiste entre hablar en español o inglés. Te recomendamos dejar de elegir que vas a hablarle sin entusiasmo a tu equipo de trabajo".

Jeremy no dijo nada.

—"Ser relajado no te ayuda a vender. Un profesional relajado no causa la mejor de las impresiones, sino que por el contrario, se olvida pronto, junto con sus ideas de promoción".

El entusiasmo viene de las raíces griegas, *en theos*, las cuales se traducen como "Dios con él", una versión sobre ti más inspirada y espiritual. Tú, elevado a la décima potencia, el tú que eras cuando estabas pequeñito y querías aprender a manejar tu bicicleta sin usar tus manos.

El entusiasmo es contagioso. Si estás emocionado con tu idea, todos los demás también estarán emocionados. Así es como funciona. Recuerda siempre la observación de Emerson: "Sin entusiasmo, nada grandioso ha sucedido jamás".

Tú puedes liderar con entusiasmo, o sin él. Esas son tus opciones. Una conlleva a un grupo de trabajo más motivado, la otra, a la larga, te guiará hacia problemas.

—"¿Pero cómo puedo actuar entusiasta cuando no lo soy?", preguntó finalmente Jeremy.

Hemos escuchado a los líderes hacer esa pregunta todo el tiempo. La respuesta es fácil: la forma de *ser* entusiasta es *actuando* con entusiasmo. No existe una persona en el mundo que note la diferencia si estás poniendo tu corazón y tus ganas en actuar con entusiasmo. Una vez que lleves un minuto y medio actuando, comenzará a ocurrirte algo muy divertido: el entusiasmo se volverá real y lo sentirás de verdad, y tu equipo también.

54. Promueve la concentración

El primer ingrediente del éxito es la concentración,
enfocar todas las energías en un punto y dirigirse directamente
hacia él, sin mirar ni a la derecha ni a la izquierda.
—WILLIAM MATHEWS, PERIODISTA

El otro principio en el que el profesor Mercado creía era en la concentración o enfoque. Y para enseñárselo a sus estudiantes, tenía un método muy particular. Scott recuerda: el profesor Mercado no nos exigía recitales de música, como hacen la mayoría de profesores. Pero en su estilo de recitales, él nos hacía tocar dos veces la parte que nos correspondía. La primera vez lo haríamos al nivel que tocaríamos si estuviéramos en un recital común y corriente. Tocábamos *Mary Had a Little Lamb* en el violín, y el público cortésmente aplaudía. Y luego, después que habíamos terminado nuestra interpretación y todos teníamos la oportunidad de tocar de la forma tradicional, Mercado decía: "Bueno, ahora vamos a tocarla otra vez. Todos van a tener de nuevo la oportunidad de tocar otra vez".

Pero esta vez, a medida que cada uno íbamos tocando, Mercado les pasaba unas notas en un papel a algunos de quienes se encontraban en la audiencia. Las notas eran instrucciones tales como: *"Tírale la oreja a quien está tocando en el escenario", 'Canta alguna canción".* Incluso le diría a la persona que estaba haciendo el acompañamiento: *"Acelera", "Ve más despacio", "Para".*

Luego Mercado se acercaba a nosotros, mientras estábamos tocando, ¡y hacía cosas más radicales que esas! Nos quitaba el arco, nos destemplaba las cuerdas para que no saliera ningún sonido de ellas. Luego comenzaba a afinar de nuevo el instrumento. Básicamente, su intención era que algo ocurriera durante esos momentos de nuestra presentación.

Y cuando ya habíamos terminado, nos preguntaba a cada uno: "¿Cuál fue la mejor interpretación? ¿La primera o la segunda con tantas distracciones?".

Yo normalmente le preguntaba a las personas en el auditorio qué opinaban, y algunos decían que la primera. Pero invariablemente la segunda era mejor, ¡aquella durante la cual estábamos más distraídos! Y todos estábamos de acuerdo. Entonces él preguntaba por qué.

La respuesta era bastante obvia para aquellos que habíamos pasado por esa experiencia, y era porque teníamos que "forzarnos" a enfocarnos y concentrarnos totalmente en nuestra música interior. Habíamos sido forzados a excluir cualquier otra distracción o impacto del entorno, y sencillamente ignorarlo. Si le hubiéramos puesto alguna atención a lo que ocurría a nuestro alrededor, habríamos terminado irremediablemente perdidos. Al enfocarnos por entero en lo que estábamos intentando producir —la música— y excluir todo lo demás, nuestra actuación era fantástica frente a los eventos externos. Era algo difícil de hacer.

La lección fue enorme y yo la utilizo de esta forma: la próxima vez que me sienta aturdido con el caos a mi alrededor, yo lo utilizo para enfocarme aún más.

Si quieres que tu gente esté realmente inspirada por tu ejemplo, muéstrales cómo utilizar las distracciones para mantenerse incluso más enfocados, no menos. Muéstrales cómo lograrlo.

55. Inspira estabilidad interior

Convertirte en líder es sinónimo de convertirte en ti mismo.
Es así de sencillo, y así de difícil.
—WARREN BENNIS

La gente busca estabilidad a toda costa. Todos los líderes que entrenamos y con quienes trabajamos, a un nivel o a otro, están intentando encontrar secretamente una mayor estabilidad en su trabajo, carrera, y especialmente, en su empresa.

Pero la clave para tener estabilidad no es buscarla en tu entorno. No tiene caso tratar de encontrarla en tu empresa o industria. Tu estabilidad está en tu interior, viene de adentro y necesitas mirarte al espejo para poder mirarte a ti mismo.

Necesitas encontrarla en el entusiasmo que le pones al trabajo, y a veces ese entusiasmo interno proviene hasta de lo más insignificante, de lo inusitado.

El sicólogo Nathaniel Branden lo explica de esta forma:

Es muy posible que de niños nos dijeran: "Escucha, niño, esto es para ti: la vida no se trata de ti, ni de lo que tú quieres, eso no es importante. La vida es hacer lo que los demás esperan de ti". Si tú aceptaste esa idea, más adelante estarás preguntándote qué pasó con tu entusiasmo. ¿A dónde se ha ido tu entusiasmo por la vida?

Hazte las siguientes preguntas: *¿Me siento bien conmigo mismo al final de día? ¿Estoy orgulloso del liderazgo que ejerzo? ¿Experimento ese maravilloso sentimiento de satisfacción cada vez que sé que he tenido un buen día?* Si es así, esa opinión es vital (y visible) para la gente a la que quieres motivar.

Si puedes construir en ti, de una manera consciente, ese nivel de autoconfianza como líder, entonces le darás estabilidad a tu carrera. De allí es de donde procede en realidad la verdadera estabilidad, en especial en esta era tan rápida de cambios externos.

El mercado cambia, cada industria cambia, el mundo entero cambia. Cada mañana al abrir el periódico o enterarnos de las noticias, algo ha cambiado radicalmente. Algo importante nunca volverá a ser lo mismo. Estos cambios rápidos asustan a la gente inestable, a quienes desean que las cosas se queden siempre como están.

¿Existe algo que motive más a la gente que estar frente a un líder con estabilidad interior y autoestima? Construimos nuestra autoestima a poquitos, así como los deportistas se fortalecen. Ellos no lo hacen de la noche a la mañana, sino día a día, agregándole un poquito más de peso a la barra, un poco más de distancia a la carrera, y muy pronto están en excelentes condiciones, poderosos, siendo deportistas vencedores. Sucede lo mismo con el liderazgo: ocurre de la misma forma, un poquito cada día, un poco de mejor comunicación, un tanto más que delegar, un poco más de servicio como líder, un poquito mejor escuchando a los demás. Siendo un 2%, o incluso hasta un 4% mejor. No más que eso. Es inspirador ver ese ejemplo diario, y nos hace más conscientes de querer hacer lo mismo.

56. Renuncia a tener la razón

Debo seguir a la gente. ¿No soy acaso su líder?
—BENJAMIN DISRAELI

Es muy frecuente que cuando aquellos con quienes hemos trabajado a lo largo de los años, reciben un ascenso laboral, sienten que es muy importante que todos vean que *ellos saben lo que hacen* y entonces viven convencidos de que todo el tiempo ellos están en lo correcto. Piensan que la gente los admirará solo si tienen la razón, y al hacer esto, se les hace más difícil admitir que están equivocados y decirles a los demás: "¿Sabes qué? Estás en lo correcto".

Un líder verdaderamente motivador, respetado y admirado, es alguien que no tiene que estar en lo cierto en todo. Nunca. Es mucho más poderoso decirle a alguien: "¿Sabe? Ahora que lo he escuchado, algo de lo que me he dado cuenta es que usted tiene la razón. Y voy a tomar las medidas necesarias para hacerlo según su propuesta". Esa es una persona que motiva a los demás.

Estar en lo cierto, a la larga, no es lo más importante. Lo que es realmente importante es alcanzar la meta. Yo puedo estar equivocado en todo, y aun así ser un gran líder. ¿Por qué? Porque saco a relucir lo mejor de mi equipo, les he enseñado a tomar sus propias decisiones, les he mostrado sus fortalezas, su lealtad, su desempeño, y por todo eso, he hecho buenos puntos a mi favor.

57. Concientízate de tu realidad

Demasiada gente piensa en su seguridad,
antes que en aprovechar una oportunidad.
Parecen tener más miedo a vivir que a morir.
—JAMES F. BYMES, ANTIGUO SECRETARIO DE ESTADO

Los cambios afectan a mi equipo hasta el punto en que eso me asusta.

Otra forma deliberada en que construyo de manera consciente mi fortaleza interior como líder es incrementando mi autoconsciencia de lo que es la vida y el mundo en general, así como el mundo de los negocios. A medida que me hago consciente de ello, me convierto en un mejor líder. No quiero simplemente poner mi cabeza en la arena y decir: "Pero hemos estado funcionando así durante 20 años". No quiero que siempre me oigan decir: "No quiero pensar al respecto, no quiero reaccionar ante la realidad de que todo cambia. Solo quiero que todo sea como solía ser, y que la gente sea como era antes". Pero si no quiero tener una verdadera comprensión de lo que es la gente hoy, en especial los jóvenes y su forma de percibir la vida, mis habilidades de liderazgo habrán declinado con el paso de los años, y muy pronto me convertiré en alguien irrelevante.

Como escribiera Nathaniel Branden en *Self-Esteem at Work*, ahora vivimos en medio de una economía global caracterizada por cambios rápidos, descubrimientos científicos y tecnológicos, además de un nivel competitivo sin precedentes. Estos cambios demandan mejores niveles de educación y entrenamiento que los que requirieron generaciones pasadas. Todo el que está relacionado con la cultura de negocios actual está de acuerdo en esto. Lo que no es comprensible es que estos avances también creen nuevos requerimientos en cuanto a nuestros recursos sicológicos. Específicamente hablando, tantos descubrimientos exigen una mayor capacidad de innovación... autoliderazgo... responsabilidad individual... y autodirección.

Solía ocurrir que los líderes fueran guiados por otros líderes, los gerentes, por otros gerentes, y no había una gran diferencia de conocimientos entre ellos. Nos enseñaban qué hacer, luego nosotros les trasmitíamos ese mismo conocimiento a otros, o sea que se trataba de un sistema de tipo militar casi jerárquico. Pero ahora las circunstancias son tan complejas y cambiantes —tanto como representar personajes casi iguales, vez tras vez, en lugar de personificar papeles vivos.

La vida ha cambiado profundamente. Y continuará cambiando, inclusive más rápido, a medida que el tiempo avanza. Esas son buenas noticias para un líder más comprometido y concientizado de la realidad en que vive.

58. Enseña con tu ejemplo

Yo oigo y olvido. Veo y recuerdo. Hago y comprendo.
—CONFUCIO

Muchos grandes deportistas han promovido a su entrenador, pero eso no funciona. A veces resulta que ellos no son tan buenos como parecían. Y existe una razón para que así ocurra. No es nada misterioso, es simplemente que no son totalmente *conscientes* de lo que los hizo grandes jugadores. Mucho de lo que ellos hacían como jugadores era intuitivo y subconsciente. Ese fue el sentimiento que las circunstancias les generaron y a eso se debe que se les dificulte bastante enseñarles a otros y comunicar sus *conocimientos porque ellos ni siquiera han identificado de qué se trata.*

El mejor entrenador de beisbol de todos los tiempos se llamaba Charlie Lau. Él fue el entrenador de un jugador de beisbol llamado George Brett. Le enseñó cómo batear. Y como debes saber, George Brett fue uno de los mejores bateadores de ese deporte. Tenía un promedio de bateo de 300 todo el tiempo. Pero Charlie Lau —su entrenador, instructor y maestro— ¡tuvo un promedio de 255! Lau era un bateador promedio, pero como tuvo que esforzarse tanto solo para permanecer en las ligas, para mantener su trabajo, aprendió a batear de adentro hacia afuera y se volvió muy consciente de cómo hacerlo. Además fue bueno enseñándolo.

Cuando te das cuenta de la manera adecuada de hacer algo que tu equipo no está haciendo al nivel que te gustaría, *muéstrales* cómo lograrlo. Toma el bate en tus manos y muéstrales cómo batear.

Cristina quería nuestra opinión en cuanto a un problema que ella estaba teniendo con su equipo:

—"Mi gente no es muy buena con los clientes", comentó Cristina. "Yo creo que ellos dejan ir muchos negocios de sus manos".

—"Díganos cómo le gustaría que ellos fueran".

—"Esto es lo que yo creo: apuesto que si mis subalternos les hablaran a los clientes un poco distinto, les hicieran más preguntas, se interesaran más en ellos, encontraran otras formas de ayudarles en distintas áreas, les servirían mucho más, encontrarían productos en los distintos departamentos en los que servimos a nuestros clientes. Pero en lugar de eso, mis empleados les venden a los clientes cosas, solo toman sus órdenes, y por eso nuestras ventas no son tan altas como podrían ser, si ellos se interesaran más en la clientela".

—"¿Qué has hecho al respecto?".

—"Primero, les envié mi opinión por correo y no tuvo mucho acogida", dijo Cristina.

—"¡Claro que no!".

—"Correcto", dijo ella. "Luego llamé a algunos de ellos y les dije: '¡Quiero que su gente haga más de esto!'".

—"¿Y resultó bien?".

—"No".

—"¿Qué más has hecho?".

—"Llamé a Recursos Humanos y les dije que necesitábamos entrenamiento en esa área de relaciones. Eso levantaría el nivel de ventas".

—"¿Y qué tal estuvo el entrenamiento?".

—"Todavía estoy esperando una respuesta a mi petición".

—"¡Hazlo tú misma! Un verdadero líder, uno realmente dinámico, que esté motivando conscientemente a los demás a tener un excelente desempeño, *les muestra cómo hacerlo*. Un líder de verdad encuentra la forma de dar a conocer a su equipo lo que realmente quiere y luego les enseña el camino para lograrlo".

Más tarde fuimos a la reunión de Cristina con su grupo:

—"Permítanme trabajar con ustedes en esta ocasión. Yo quiero hablar con los clientes que nos visiten hoy. Y todo lo que quiero que ustedes hagan, es asistirme, estar ahí, ayudar, hacer preguntas si se les ocurren. Pero tratemos ustedes y yo —*ustedes y yo*— de hablar con algunos clientes a medida que entran".

Cristina aprendió a mostrarles la forma en que ella deseaba que ellos trabajaran. Se dio cuenta de que la mejor forma de comunicar este tipo de asuntos era haciéndolo ella misma, con su ejemplo. Ese fue su nuevo punto de apoyo, y fue la forma en que su equipo entendió y se mostró posteriormente interesado y comprendió rápidamente.

Si solo le dices a tu gente: "Quiero que hagas más de eso y vas a tener que mejorarlo", tus palabras caerán en oídos sordos, y a veces peor, porque causas que la gente se defienda justificando por qué no lo está haciendo así. También causa que te digan: "No tengo tiempo para hacerlo así". Para motivar realmente, habla menos y demuestra más.

59. Enfócate como una cámara

La mayoría de la gente exitosa que he conocido,
escucha más que lo que habla.
—BERNARD BARUCH

Queremos presentar una clase de liderazgo que hemos visto en uno de cada diez líderes con los que trabajamos. Lo llamamos *liderazgo enfocado* y es la habilidad de estar absolutamente enfocado en el liderazgo. Lo que queremos decir cuando hablamos de "enfocado" no es concentrado intensamente, como si estuvieras casi forzando algo. Es realmente lo opuesto. Es un concepto más relajado de lo que es permanecer enfocado. Imagina una cámara enfocada: estás mirando a través de ella y se ve borroso y a medida que enfocas el lente o la palanca, no necesitas hacer ningún esfuerzo. Todo lo que se requiere es moverlos de forma muy suave hacia un lado o el otro, y de repente, se ve perfecta la foto. Lo mismo puede ocurrir con tu *imagen* de líder.

Uno de tus subalternos entrará en tu oficina, se sentará y notará que estás comenzando a enfocarte en él como una cámara porque existe esa palanca interna en ti que se está moviendo muy lentamente para enfocarlo hasta que su imagen se vea nítida, relajada y absolutamente enfocada. Luego tomas un profundo aliento, respiras y dices: "Dime qué tienes en mente. ¿Cómo vas? ¿En qué te puedo ayudar?".

Tu empleado se dará cuenta de este enfoque tan gentil y relajado, y se sentirá halagado con tu actitud. Pensará: *"Es como si en este instante fuéramos las dos únicas personas sobre el planeta. Me siento como en una isla desierta y con todo el tiempo disponible para hablar".*

Por tu parte, tú estarás pensando: *Y yo te escucho y entre los dos vamos a llegar al fondo de este asunto, pero no en medio del afán, ni porque es nuestra obligación, sino porque es a ese punto donde nos llevará esta conversación abierta. De una manera que yo tenga en cuenta tu punto de vista y te sientas respetado, escuchado y con la posibilidad de expresarte. Vamos a intercambiar ideas, te voy a hacer algunas preguntas y vamos a ver qué pensamos cada uno al respecto. No te diré qué hacer, ni soy un jefe con una agenda escondida que te revelaré poco a poco, a medida que hablas. Estoy abierto a escucharte. Quiero captarte como si yo fuera una cámara.*

Y tú eres un gran líder.

Ya conoces la otra clase de líder, la no tan espectacular: la del líder que llega a la reunión cargando su organizador electrónico y mientras se sienta allí estará contestando correos, revisando las llamadas de su celular en modo de vibración cada dos o tres minutos para ver quién es, y además tratando de estar presente en la reunión. Él creerá que es multitareas, pero la realidad es que no está enfocado. Y todo el que se relaciona con esta clase de líder se siente disminuido ante ese tipo de interacción.

Hablamos con Richie acerca de uno de sus líderes, quien se comporta de esa manera:

—"Yo siempre pienso de él que es alguien que no tiene tiempo para mí", dijo Richie. "Es una persona con quien en realidad preferiría no hablar en este instante".

Ese "líder" sabe que, a cierto nivel, todas las 100 personas con las que él se comunicó esa semana, de cualquier forma, —unas por correo, otras por texto, fax, teléfono, persona a persona, en un pasillo de la oficina— todas fueron agraviadas por su conducta.

Muy en lo profundo, el líder disfuncional sabe eso y por lo tanto se siente incómodo, sabe que debe arreglar algo que no está bien. ¡Pero en lugar de detenerse un poco, acelera!

Una vez le dijimos a un gerente que se comportaba de esa manera, que necesitaba usar un letrero colgado a su cuello.

—"¿Qué quiere decirme con eso de un letrero colgado a mi cuello?".

—"Sí, necesita un letrero, como hace la gente en los centros de salud cuando están tratando de solucionar un asunto personal y el aviso dice: 'NO TENGO TIEMPO PARA USTED'".

Él no contestó.

—"También podría programar un correo electrónico automático que enviara un mensaje a sus contactos diciéndoles: 'NO TENGO TIEMPO PARA USTED'".

—"¿Por qué tendría yo que hacer eso?", me preguntó.

—"Ya lo está haciendo, ya está enviando ese mensaje hace rato, solo que de esta forma lo estaría oficializando".

Cuando entrenamos líderes que se abren y se enfocan en su gente, como una cámara, el resultado es que a la larga se ahorran bastante tiempo porque se requiere de mucho menos esfuerzo dirigir a un equipo motivado y confiado, que el que se necesita para estar al frente de uno desmotivado y molesto.

60. Piensa en el liderazgo como un ejercicio agradable

Piensa siempre que lo que tienes que hacer
es una actividad agradable, y lo será.
—EMILE COUE, SICÓLOGO

Un pensamiento es más que un pensamiento porque de él procede tu realidad. El papel del pensamiento en el manejo de personal y sus resultados, no es de subestimar. Lo que tú *pienses* acerca de qué tan fácil o difícil es tu trabajo, es más importante que lo que en realidad lo sea.

Si piensas que motivar a tu equipo es difícil, es difícil. No hay diferencia. Como dijo Shakespeare: "No hay nada bueno ni malo, sino que el pensamiento así lo clasifica".

Si piensas que es difícil e incómodo hacer una llamada telefónica, entonces lo es. Si piensas que es una actividad relajada, entonces así es.

Es importante observar el poder que tiene el pensamiento en el mundo del liderazgo. Si tienes pensamientos que te deprimen, no tendrás un buen día de relaciones personales. El liderazgo requiere de un alto nivel de humanidad y por eso para ser líderes óptimos necesitamos compartir nuestra humanidad y recibir la de la gente a lo largo del día.

Tú puedes ser un líder exitoso motivando a los demás. Creerlo es la clave.

Cuando Napoleón Hill escribió *Piense y hágase rico*, su propuesta fue que tú tienes la capacidad de ocupar la posición que quieras para obtener éxito. Muchos han seguido sus instrucciones y lo han logrado —muchos que no eran tan inteligentes como nosotros. Por lo tanto nosotros también podemos tener éxito. ¿Es fácil? De hecho, puede serlo. Como decía el célebre filósofo Coue: "Piensa siempre que lo que tienes que hacer es una actividad agradable, y lo será".

Algo sí es seguro: nada es tan difícil como piensas que es.

61. Cultiva el poder de la reafirmación

En el mundo empresarial, el verdadero poder y energía se generan a través de las relaciones. Pero el modelo y los alcances de dichas relaciones son más importantes que las actividades compartidas, las funciones, los roles y las posiciones.
—MARGARET WHEATLY, CONSULTORA EN ADMINISTRACIÓN

Uno de los aportes más valiosos que un líder puede hacer a la vida de una persona es reafirmarla. No escucharás acerca de este aspecto en ningún seminario, y es una pena porque no hay nada tan motivante que una saludable dosis de reafirmación. ¿Cuántos líderes se enfocan en este punto? ¡Ninguno! ¿Qué tan importante es como herramienta de liderazgo? Es la *herramienta* más importante.

¿Cuántas veces durante el día te preguntas *qué tan reafirmado te sentías en esa conversación?* ¿Cuántas veces antes de una interacción reflexionas en *cómo vas a hacer para darle un sentimiento de reafirmación a la persona con la que vas a hablar, para que esté confiada en que todo le va a salir bien y que tiene lo que se necesita para hacer lo que tiene que hacer?*

Si incorporas este concepto a tu sistema y enfoque personal de liderazgo, habrá muchos cambios en tu equipo y la mentalidad de cada uno de los miembros cambiará para bien.

La gente busca reafirmarse en sus líderes. Punto. Sin embargo, la verdad es que la mayor parte del tiempo las personas que ejercen su liderazgo no cumplen esa función. Por el contrario, hacen lo opuesto porque tienen la idea de que el equipo crece a las malas. El líder insiste en su actitud afanosa y termina por enviar este mensaje: "¡Apúrense! Lo siento, voy tarde a una reunión". "Estoy en el teléfono y es urgente". "Estamos atrasados y esto es una locura".

El problema con ese mensaje es que tú mismo no te sientes reafirmado. Si tu mentalidad es pensar que estás en medio del caos y la crisis, no estás reafirmado ya que es precisamente el hecho de reafirmarte lo que te ayuda a superar la crisis y el caos en que piensas que estás.

62. Afronta los desacuerdos

*La mejor forma de tener una buena idea
es teniendo muchas ideas.*
—Linus Pauling, científico ganador del Premio Nobel

Cuando escuchas a otra persona durante una reunión o en una interacción persona a persona, lo mejor que puedes hacer es dejar de discrepar. En otras palabras, enfócate en el valor que tiene lo que tu interlocutor quiere decirte; no te enfoques en si estás o no de acuerdo porque cada vez que no lo estés con tus empleados, los desestabilizas y los dejas sintiéndose peor que como se sentían antes de hablar contigo.

Si yo discrepo constantemente de tu forma de pensar, ¿qué harías? Tendrías que comenzar a defenderte, ¿no es así? Todos los seres humanos lo hacemos. Nos ponemos a la defensiva. Tú no dices: "Ah, bueno, está bien, veo tu punto de vista, sí señor, tiene razón y yo estoy equivocado, así que... bueno. Ahora me siento mejor, ¿en qué más está usted en desacuerdo conmigo?". ¡Eso no ocurre así!

Si vas a estar en discrepancia con alguien, acepta las consecuencias. La primera será que cambies el estado de ánimo de tu interlocutor. ¿Y cuál es la consecuencia de eso? Que esa persona no va a hacer el mejor de los trabajos. La gente no funciona adecuadamente cuando está de mal humor. Su energía desaparece. Sin embargo, si comienzas por escuchar y encontrar el valor que tiene lo que te están diciendo, el ánimo de quienes te hablan todavía está dispuesto a escucharte. De hecho, al escuchar el valor de lo que te dicen, independientemente de que estés de acuerdo, energiza la conversación. Tú tienes la capacidad para influenciar al equipo completo mediante al hábito de escuchar y buscar el valor de lo que alguien tenga para decir.

La mayoría de los líderes no lo hace. Muchos dejan que su subalterno hable y luego le dicen: "No, eso no es correcto, estoy en total desacuerdo".

Luego se preguntan por qué sus empleados se sienten subvalorados, cuando fue precisamente el enfoque obsesivo del líder lo que llevó al equipo a sentirse así.

¿Cómo va a sentirse más motivado alguien que se siente ridiculizado con frecuencia? Nadie piensa: "Bueno, usted me ha hecho sentirme como un estúpido, ya estoy listo para trabajar al máximo. Me siento como un idiota, ¡vamos!".

Gran parte de los líderes manifiesta su sentir así: "En todo caso, si estoy en desacuerdo, estoy en desacuerdo. Todo lo que estoy haciendo es manifestar que discrepo". Recuerda, en todo caso, que vas a retar a alguien, que esa persona se va a sentir mal y que esa es la consecuencia. A veces tienes que discrepar, pero mientras menos lo hagas, mejor trabajará tu equipo contigo, y más motivado se sentirá.

63. Mantente actualizado

Los líderes crecen, nunca terminan de informarse.
—PETER DRUCKER

Permanece en tu curva de aprendizaje y permite que tu equipo te vea en crecimiento. No mediante una constante actitud de "sabelotodo", sino mostrando que eres una obra en progreso. De esa manera será más fácil para ellos acercarse a ti con nuevas ideas.

Muchos líderes se sienten inseguros en su papel y por eso tratan con frecuencia de lucir como si lo supieran todo. Sin embargo nunca van a un seminario y desdeñan el último libro en teoría administrativa. Su actitud desmoraliza a sus seguidores, ya que todos tenemos algo nuevo que aprender a diario acerca de nuestra profesión. Poco a poco podemos agregar información a nuestra base de conocimientos logrando así incrementar la fortaleza profesional y la capacidad para ayudar a otros.

Hay felicidad en el hecho de crecer. Somos felices cuando vemos que crecemos, y la gente feliz es más motivada que la gente frustrada.

64. Identifica qué no es liderazgo

Los grandes líderes son como los mejores intérpretes —van más
allá de la nota para alcanzar la magia de su interpretación.
—BLAINE LEE, CONSULTOR EN ADMINISTRACIÓN

Los líderes cometen un grave error cuando se vuelven autoritarios. Es una señal inequívoca de inseguridad recordarles a otros que tú eres el jefe. Es posible actuar con decisión y seguridad, y hacer que la gente te rinda cuentas, sin ni siquiera tener que ejercer presión ni hacer referencia a que eres el jefe.

Dee Hock, Fundador de Emeritus de VISA International, lo explica así:

"Controlar no es liderar. Administrar tampoco es liderar. Liderar es liderar. Si buscas liderar, invierte por lo menos el 50% de tu tiempo autodirigiéndote —liderando tus metas, ética, principios, motivación, comportamiento. Invierte al menos 20% siguiendo a tus líderes y el 15% liderando en tu equipo. Si no entiendes que trabajas para tus subordinados, entonces no sabes nada acerca de liderazgo, solo sabes de tiranía.

Esas son palabras fuertes para líderes autoritarios, pero ellos no tienen ni idea de lo que es la naturaleza humana, especialmente en estos tiempos. El viejo modo de liderazgo militarista ya no es apropiado, ni siquiera es considerado liderazgo.

Hoy los líderes encuentran realización en su equipo de trabajo.

65. Escucha lo que tu equipo tiene para decirte

Yo me divierto y tengo más éxito financiero cuando
dejo de intentar obtener lo que quiero y me dispongo
a ayudarles a otros a lograr lo que ellos quieren.
—SPENCER JOHNSON, ESCRITOR EN EL ÁREA DE NEGOCIOS

¿Cómo sabemos qué clase de líder eres? Hay una forma muy rápida de averiguarlo: les preguntaremos a quienes te siguen. Ellos saben y lo que digan es verdad. Eres quien ellos dicen que eres. ¡Escúchalos! ¡Compréndelos! La gente se siente altamente motivada por gente que sabe escuchar, como tú que "captas" sus problemas. Procura estar siempre interesado.

En palabras de Thich Nhat Hanh:

"Cuando estamos interesados, notamos que otra persona está sufriendo. Si alguien sufre, esa persona necesita hablar con alguien para sentirse despejada. Tenemos que ofrecer nuestra presencia, y tenemos que escuchar con mucha atención a quien sufre. Esa es la práctica del amor —escuchar con atención. Si quienes amamos no pueden comunicarse con nosotros, entonces sufrirán más. Aprender a escuchar es nuestra responsabilidad. Tenemos que estar motivados por el deseo de quitar las penas, por eso es que escuchamos, y debemos hacerlo con todo el corazón, sin la intención de juzgar, condenar ni criticar. Y si escuchamos de esa manera durante una hora, estamos practicando el verdadero amor. No tenemos que decir nada, solo escuchar.

Para ayudar a los miembros de tu equipo a conseguir sus metas, préstales atención y escúchalos hasta comprender lo que ellos quieren. Luego, haz que sus metas quepan dentro de los objetivos del grupo y muéstrales la conexión. Esa es la forma de producir una motivación duradera.

66. No te excedas en seriedad

Tu instinto para utilizar el liderazgo con el que naciste, es la columna vertebral de tu función como líder. Te corresponde desarrollar el entusiasmo y el deseo que necesitas para hacer bien tu trabajo.
—JP MORGAN CHASE BANK

La gente más motivada con la que trabajamos no se está tomando a sí misma con la suficiente seriedad. Quienes tienen mayores dificultades ven el futuro éxito de la empresa como si fuera un pago más de su propia hipoteca o como si de eso dependiera sostener unido su matrimonio. Los gerentes más creativos, productivos e innovadores, ven el negocio como un juego de ajedrez y lo juegan por diversión y por aceptar retos. Hacen toda clase de movimientos y utilizan las mejores estrategias. Y cuando pierden, vuelven a intentar hasta conseguir poner todas las piezas juntas.

Los peores perdedores y la gente más frustrada en su trabajo son aquellos que toman todo con demasiada seriedad. Son amargados y frustrados. Usan a diario solo el 10% de su cerebro, el cual fue inmenso durante su niñez, pero se les endureció y contrajo con resentimientos y preocupaciones.

Esto es de lo que se pierde la gente exageradamente seria: diversión, creatividad, ideas inspiradoras, intuición, buenas energías, soluciones fáciles y la alegría que brinda la camaradería. De eso se pierden. Así que no es de extrañarse que fracasen en lo que se proponen. Cada vez que tomamos algo tan seriamente, encontraremos formas sutiles y subconscientes de escapar de ello a todo momento. En secreto, somos como niños, nos resistimos a la seriedad.

Uno de los estudiosos más respetados de América es Warren Bennis. En su libro *On Becoming a Leader*, (Perseus Publishing, Revised Ed., 2003), él plantea la diferencia entre un líder y un gerente: "El líder innova, el gerente administra. El líder se enfoca en la gente, el gerente se enfoca en el sistema y la estructura. El líder inspira, el gerente controla. El líder está en control, el gerente es un buen soldado. El líder se proyecta a largo plazo, el gerente ve a corto plazo".

G.K. Chesterton dijo una vez que los ángeles vuelan solamente porque no se toman así mismos tan en serio. Lo mismo podemos decir de los líderes exitosos.

67. Cumple hasta tus más pequeñas promesas

Las grandes metas no se obtienen por impulso,
sino por una serie de detalles puestos juntos.
—VINCENT VAN GOGH

La gente se siente motivada por gente en la cual confía.

No es difícil ganarse la confianza de tu gente. Es posible. Y como es tan importante para motivarlos, debes ganártela. Así que no llegues nunca tarde a las reuniones. Nunca. Algo así destruiría toda la confianza que hayas construido en 7 de cada 10 personas, pues para ellas significa que no se puede confiar en tu palabra.

Le explicamos eso a Jeff después de trabajar con su equipo durante un tiempo, y habiendo observado que él no había cumplido ni una sola de sus pequeñas promesas.

—"Bueno, ¡no es una gran cosa!", solía decir Jeff. "Llegué un poquito tarde, o se me olvidó conseguirle a uno de mis empleados un tiquete para el parqueadero, ¿y qué? Tengo en mi mente grandes ideas, no trivialidades".

—"Es tu palabra, Jeff. Si no puedes mantenerla en tus promesas pequeñas, nadie confiará en ti en las grandes".

—"Bueno", dijo Jeff, "¿qué puedo hacer? ¿Convertirme en alguien que no soy? ¿Hacerme un trasplante de personalidad? ¿Conseguirme alguna medicina que me mantenga enfocado?".

—"Debes hacer todo lo que dices que harás por tu gente, cuando dices que vas a hacerlo. Si dices que llamarás mañana, hazlo. Si dices que les tendrás sus documentos el viernes, debes mover cielo y tierra para lograrlo. Significa demasiado. La confianza se gana, no solamente por las grandes cosas, sino aún más por las pequeñas".

68. Dale poder a los demás

*Cuando me estoy preparando para persuadir a alguien, invierto
la tercera parte de mi tiempo pensando en mí mismo, en lo que
voy a decir, y las otras dos terceras partes, las invierto pensando
en esa persona y en lo que me va a decir.*
—ABRAHAM LINCOLN

Cuando me encuentro en una posición de liderazgo, siempre existe un temor interno en esa persona a la cual lidero y a la cual estoy a punto de hablarle. Si yo no entiendo ese temor, voy a tener dificultades haciendo acuerdos con ella. Y motivar consiste en hacer acuerdos.

Mi meta es llevar a mi equipo a que esté de acuerdo en trabajar conmigo. También es posible que quiera que ellos estén de acuerdo conmigo en lograr un más alto desempeño, o lograr que se haga el trabajo que se requiere, o comunicarse conmigo de manera apropiada. En cualquier caso, se trata de un acuerdo que yo necesito hacer.

Pero existe una razón (tú ya sabes cuál es a este punto... esta es una pista: es temor) por la cual la persona con quien interactúo trata de oponerse y no quiere estar de acuerdo conmigo. Y una vez entendemos esa razón, tenemos la habilidad de crear acuerdos con mayor rapidez. El foco de mi atención debe ser siempre: ¿qué debo hacer para quitarle el miedo a mi contraparte?

Los hipnotistas más ágiles te dirían que ni siquiera pueden pensar en comenzar a trabajar con un sujeto a quien ellos no logran relajar. Cuando una persona no está relajada, no está abierta a la sugestión, hipnosis ni cosa parecida. La mayoría de los gerentes que trata de hacer acuerdos con su equipo, de hecho, causa miedo en su interlocutor, miedo que aumenta a medida que avanza la conversación.

Entonces ¿cómo hacer un acuerdo de tal manera que las alarmas del temor de tus empleados no se disparen y ellos no se pongan a la defensiva? Haciendo preguntas, porque al hacerlas, honras sus sentimientos y pensamientos. Cuando la gente teme perder poder y balance, y se resiste (con objeciones, a la defensiva y estrategias parecidas), ¡parece fuerte! Como si el mensaje que quisiera enviar fuera: "Esta es una persona férrea, que sabe lo que quiere, que no va a dejarse convencer". Y en realidad no es así, ¡esa persona está *asustada*!

La gente no quiere dejarse convencer de tu idea, *ellos quieren convencerte de la suya*, quieren que sea su idea, no la tuya. Justo ese es el secreto para motivar.

Digamos que quieres que uno de tus empleados te presente sus reportes de una manera más apropiada y a tiempo. Si hablas con él de una manera asertiva, y le dices: "Necesito hablar contigo para saber por qué no recibí tu informe a tiempo", ¿sabes qué pasa? Tu empleado se pone a la defensiva y siente temor: "No logré tenerlos a tiempo debido a que el sistema del computador estuvo averiado durante dos días. De hecho, nuestro equipo hizo muy buen trabajo dado lo que estaba pasando aquí en la oficina. Nos fue muy bien, y en verdad lo estamos haciendo mejor de lo que esperábamos".

Tu empleado está defendiendo lo ocurrido porque tiene miedo de ser juzgado como incompetente, de que incluso le pidan que renuncie a su trabajo, todo por no haber logrado entregar el reporte a tiempo. Y lo que lograste fue —tu único error— que sus alarmas se dispararan y él sintiera temor y se pusiera a la defensiva.

Y si no tienes ni idea acerca de su miedo, ni tampoco sabes qué está ocurriendo, es posible que quieras presionar aún más sus alarmas y él sienta mayor miedo. Es conveniente decirle: "Bueno, el sistema de computación también se dañó en la oficina adjunta, pero ellos sí entregaron a tiempo su reporte".

Ahora tu empleado está aún más nervioso, inclusive ansioso.

"Sí, pero ellos tienen más personal que nosotros. Estamos bajos de personal en este departamento. Siempre ha sido así".

Entre más presiones, más se defenderá tu empleado. Entre más te pongas a la defensiva, él también hará lo mismo. Y si es así, habrá menos posibilidad de que él te entregue a tiempo el informe de la próxima semana, que era todo lo que pretendías al comienzo de la interacción. Eso era todo pero tú lo convertiste en algo imposible de lograr.

Esta actitud defensiva retrasa la dinámica del matrimonio, dilata los resultados profesionales y hace que la vida del gerente sea una miseria. Un gerente puede hacer preguntas amables y dejar que sus subalternos piensen y hablen para que hagan sus propios compromisos. Eso es lo que ocurre cuando existe motivación.

69. No se te olvide respirar

"En la guerra, así como en la paz, un hombre necesita todo el cerebro posible. Nadie nunca tuvo demasiado cerebro. El cerebro necesita del oxígeno. Cuando respiramos aire, el oxigeno va hacia nuestros pulmones donde entra a nuestra corriente sanguinea y viaja hasta el cerebro. Cualquier tonto puede duplicar la capacidad de sus pulmones".
—GENERAL GEORGE S. PATTON, MIENTRAS LE EXPLICABA
A SUS TROPAS LA CONEXIÓN ENTRE RESPIRAR Y PENSAR

Scott Richardson recuerda el papel que la respiración tiene en alcanzar el éxito como líder. Sí, respiración, como en: "No te olvides de respirar".

De hecho, Rodney Mercado nunca lo mencionó. Jamás hablamos del asunto, y sin embargo yo me di cuenta y se lo copié, me propuse hacer lo mismo porque cuando Mercado

STEVE CHANDLER Y SCOTT RICHARDSON

tocaba un instrumento, tomaba las más profundas respiraciones que yo haya visto en un ser humano. Así que, a pesar de que él nunca dijo nada a ese respecto, supuse que si a él le funcionaba, yo quería que a mí también. Y desde entonces aprendí la importancia de la respiración para estar energético, enfocado y concentrado.

A eso se debía que tomara un respiro profundo justo antes de comenzar a tocar mi violín y luego lo dejara ir con gran fuerza. Y luego, cuando cambiaba la posición del arco, tomaba otro respiro y así respiraba en unísono con la música que estaba interpretando. Hoy en día sigo haciendo eso mismo.

Ponerle tanta energía e *intensidad* (palabra favorita de Mercado) a la interpretación era lo que producía el resultado que inspiraba a la gente para escuchar una pieza musical.

Como líderes, nuestra propia energía e intensidad están monitoreadas por nuestro equipo de trabajo. Ellos toman muchas de sus pautas sicológicas de lo que ven en nosotros: nuestros movimientos y expresiones (o la falta de ellos). A eso se debe que necesitamos aprender a respirar profundamente para dar ejemplo y liderar con entusiasmo. Para generar expectativas y luego volver a respirar, inclusive con mayor profundidad. La palabra "inspirar" significa literalmente "respirar profundamente". No se trata de anquilosarnos el día entero respirando sentados en nuestro escritorio o frente al computador. Eso no inspiraría a nadie.

70. Confía en que tienes el tiempo que necesitas

Comienza haciendo lo necesario, luego, lo posible,
y de repente, estarás haciendo lo imposible.
—SAN FRANCISO

La mayoría de gerentes hace pequeñas cosas a lo largo del día. Comienza haciendo todo lo fácil, revisa su correo una y otra vez y se pregunta de manera subconsciente: *¿Cuáles son aquellas actividades que podría desarrollar y que no son difíciles? ¿Qué es lo que debería hacer que me haga lucir como el gerente mientras en realidad encuentro lo que de verdad es necesario? Si alguien me estuviera observando, ¿diría que lo que estoy haciendo es lo que el gerente debe hacer? Estoy haciendo lo que necesito, eso debe hacerse, tarde o temprano.*

Pero un líder que sabe motivar tiene la habilidad y la oportunidad de vivir diferente, de tomarse el tiempo de vivir mediante prioridades elegidas con la razón y no con los sentimientos, dejando atrás la inmadurez. La clave está en tomarse el tiempo para lograrlo.

La sensación de que el tiempo se acorta, de que en realidad no hay demasiado tiempo durante el día, no es conveniente para trabajar en ese objetivo, pero puedes aprender a permanecer enfocado basándote en este hecho: todos tenemos 24 horas, sin importar qué tan pobres o ricos seamos, inclusive así, contamos con 24 horas, ni un minuto más. Así que no tiene sentido decir: "No tengo tanto tiempo como otra gente. Me gustaría hacer eso pero no tengo el tiempo". Eso, sencillamente no es cierto.

La única forma de hacer alcanzar tu tiempo es seleccionando lo que quieres hacer. Y una vez lo hagas, se hace más fácil motivar y enseñar a los demás a hacer lo mismo.

71. Usa el poder de las fechas límite

La mejor forma de predecir el futuro es creándolo.
—PETER DRUCKER

Organiza tus prioridades en un marco de tiempo. Si no hay presión de unas fechas, escoge unas. Si quieres un informe de alguien, completa tu requerimiento preguntando: "¿Y sería posible tener este reporte para el próximo jueves?".

Varios diccionarios describen el término en inglés *"deadline"* (el cual se traduce al español como la fecha límite) como el tiempo para el cual algo debe haberse realizado, originalmente, esta expresión significaba: "una línea que no se mueve", "una línea alrededor de una prisión militar alrededor de la cual un prisionero que intente volarse *puede ser asesinado"*. Literalmente, ¡es una línea sobre la cual una persona o proyecto mueren! Las fechas límite producen acción, así que cuando quieras producir acción en otras personas, asígnales una fecha límite (*deadline*).

Si haces un requerimiento sin incluir una fecha o tiempo límite, entonces no tienes cómo pedirle resultados a quien le hayas hecho tal requerimiento, todo lo que tienes es la esperanza y el deseo de que esa persona tome cartas en el asunto sin saber a ciencia cierta cuándo. La gente se siente motivada solamente cuando le asignamos un espacio *y* un tiempo. La relación espacio-tiempo es la motivación más completa.

En una ocasión estábamos escribiendo un libro cuando el editor llamó para darnos una fecha límite de entrega con el fin de hacer un catálogo para el otoño que incluyera las grandes rebajas para el tiempo de Navidad. Entonces, de un momento a otro, nos pusimos al frente, escribiendo y editando 20 horas diarias hasta que le enviamos el manuscrito al editor. Resultó ser el mejor libro que hayamos escrito.

Sin una fecha límite no hay metas, solo una tarea en la nebulosa que le ha agregado confusión al trabajo diario. Estarás haciéndole un favor a alguien si pones tu requerimiento dentro de un marco de tiempo. Y si el tiempo es muy corto, es negociable. Permite que tu gente participe. No es cuestión de *quién* fije la fecha, sino de acordar alguna. De cualquier forma, que se haga un acuerdo claro y se cumpla.

Muchos gerentes no hacen esto. Tienes cientos de requerimientos archivados flotando por todas partes en su lugar de trabajo porque no los priorizaron y siguen postergándose. Las fechas límite arreglarían esa situación.

72. Transforma tus preocupaciones en asuntos de interés

Las dificultades deben salir a flote, pero no para desanimarte.
—WILLIAM ELLERY CHANNING, MINISTRO Y SICÓLOGO

Los líderes no le ayudan a nadie preocupándose. Las preocupaciones son una mala forma de usar la imaginación. Convierte tus preocupaciones en asuntos de interés. Luego, una vez hayas elegido en qué te vas a interesar, diseña tu plan de acción y desarróllalo.

Si respondemos a los problemas preocupándonos por ellos, reduciremos nuestra energía y buen humor echando abajo nuestra autoestima. Estar preocupado no contribuye al concepto que queremos tener de sí mismos. Además, tampoco inspira a quienes nos rodean cuando ven a su líder preocupado.

En lugar de preocuparte, piensa creativamente en alguna clase de acción que te ayude a avanzar, algo genial e inspirador originado por el supuesto problema. Adquirir ese hábito incrementa tu autoestima y los niveles de energía, así como el amor a la vida. La gente está más motivada por aquellos enamorados de la vida que por quienes se preocupan por ella.

73. Deja que tu mente gobierne tu corazón

Si no piensas en el futuro, no tendrás uno.
—HENRY FORD

Los líderes que enfrentan la vida como si todavía fueran niños, o como adultos que viven de acuerdo con sus traumas de la infancia no resueltos, no serán capaces de enfocarse en sus empleados ni clientes, así como tampoco conseguirán prosperar.

El liderazgo requiere que el hemisferio izquierdo de tu cerebro, encargado de la lógica y de resolver los problemas, esté a cargo de tu hemisferio derecho. Se requiere de una voluntad intelectual para resistir las quejas de tu grupo de trabajo (reales e imaginarias). Se requiere de fortaleza para encontrar nuevas rutas posibles.

El liderazgo requiere que el ajedrecista en ti esté a cargo del proceso de pensamiento y la toma de decisiones a lo largo del día.

El liderazgo consiste en tomar decisiones claras y sabias sobre dónde y cómo invertir tu tiempo. Liderar gente es volverte cada vez más sabio con el uso de tu tiempo. El gran ajedrecista Kasparov vivía bajo la premisa de "pensar siete jugadas adelante".

Intelectualmente hablando, motivar a los demás es utilizar la ingeniería a la inversa. Tú decides lo que quieres y luego piensas en retrospectiva. Comienzas al final y te buscas la forma de llegar allí a partir del fin, siempre con el fin en mente cuando te diriges a tu grupo o cuando haces una llamada telefónica. Aquellos que son recursivos para motivar a su equipo son los más conscientes de lo que están haciendo. Piensan continuamente y su gente los aprecia por eso.

Hoy, cuando vayas manejando, aprovecha para pensar en lo que necesitas para lograrlo. Piensa en lo que más apreciarías si fueras miembro de tu equipo. Piensa en formas de hacer conexiones y ganar confianza. Piensa. Piensa en ese toque extra que sería tan agradable para hacer que funcione mejor una interacción que es necesaria. Piensa en las preguntas que te gustaría hacer. Piensa en ser un detective. Es un crimen que un empleado no esté funcionando según su potencial, que esté pensando en dejar tu empresa. Soluciona ese crimen.

74. Construye una cultura
de reconocimiento

Siempre he dicho que si fuera un hombre rico,
contrataría un elogiador profesional.
—SIR OSBERT SITWELL, POETA

Una forma de motivar a los demás es cambiando la pregunta que te haces a diario. En lugar de preguntarte *¿cómo logro que hagan menos de lo que me molesta?*, cambia tu pregunta a *¿qué es lo mejor que puedo hacer para conseguir que mi equipo haga más de lo que yo quiero que haga?*

Muchos líderes averiguan qué está mal y luego lo critican. Identifican los problemas y después dicen: "Tenemos que arreglar esto, no podemos aceptarlo, esto no es suficiente".

Pero ese enfoque causa resentimiento en la persona que recibe la crítica. Lo que mejor funciona es el reconocimiento y el aprecio. Y los dos pueden brindarse.

Cuando voy manejando de camino a mi trabajo, me digo a mí mismo: *"Voy a construir deliberadamente una cultura de reconocimiento en mi empresa —donde la gente se sienta reconocida por todo lo que logra. Mis empleados se sentirían visibles, apreciados y reconocidos. Quiero que sepan que lo que hacen, se les reconoce, se les aprecia y se les celebra. Esa es la cultura que crearé para hacer crecer la productividad".*

Cada vez que me sea posible, quiero reconocer a cada uno de ellos frente a sus compañeros de trabajo. Y si es posible, me gustaría darles su reconocimiento en frente de sus familias, de alguna manera. A lo mejor le enviaré al hogar de cada homenajeado un premio o una nota de la empresa de parte del presidente. Quiero que la familia de ese empleado vea que él o ella son realmente apreciados.

75. Adquiere responsabilidad

*"El 99% de los fracasos viene de gente
que tiene el hábito de sacar excusas".*
—GEORGE WASHINGTON CARVER

—"Me gustaría que la gente adquiriera responsabilidad por aquí", le dijo uno de los abogados de la firma Scott Richardson a él un día. 'Pareciera como que la gente que estoy liderando aquí perteneciera 'a la farándula'".

—"¿Ya les explicaste acerca de lo que es en realidad tener responsabilidad?", repuso Scott.

—"No, realmente", dijo el abogado

—"¿Por qué no practicamos un juego de palabras por un segundo? Yo digo una palabra y tú me dices la primera que se te venga a la mente, ¿listo?".

—"¡No entiendo! Pero comencemos".

—"No, te va a servir, lo prometo".

— ¿Cuál es la primera palabra que viene a tu mente cuando escuchas decir *responsabilidad*?

—"Obligación", dijo el abogado.

—"¡Magnífico!", exclamó Scott. "Ahora desglosemos la palabra *responsabilidad* en las partes que la componen: *habilidad* para *responder* o habilidad para dar una respuesta. ¡La habilidad para hacer algo! Responsabilidad significa "hábil para responder". Eso es lo que significa responsabilidad. No tiene nada que ver con obligación, ni con palabras negativas con las que erróneamente se le asocian, palabras que tienen una connotación intimidante, como por ejemplo obligación, carga, deuda, culpa y otras. Si quieres que tu equipo adquiera responsabilidad, primero tú debes tener claridad, y luego dársela a ellos, en cuanto al verdadero significado que tiene este término, y en cuanto a que no tiene nada que ver con palabras con carga negativa. Es simplemente la habilidad para responder, la habilidad para hacer algo. Simplemente dile a tu equipo que crees en ellos, que tú sabes que ellos tienen la habilidad de responder a sus retos, y que tú los apoyas".

Steve Hardison es un entrenador de la vida con quien hemos trabajado y escrito al respecto en libros anteriores. Hardison fue invitado a participar a una reunión de la junta directiva de una empresa que él estaba planeando entrenar. El primer punto de la agenda fue: "¿De quién es la culpa de que tengamos un sistema de computadores que costó $100.000 dólares y sin embargo no sirva para nada?".

El presidente se dirigió a uno de los vicepresidentes y le dijo: "Joe, ¡esto es todo culpa tuya!". Joe contestó rápidamente: "No lo es, yo no diseñé esas especificaciones. ¡Fue John!". Entonces John respondió: "¡Oigan! ¡Esperen un minuto! Yo no escogí al vendedor. Lo escogió Rose". Y ella contestó: "Bueno, no fue realmente mi decisión, ¡yo solo les hice una recomendación!".

Y los miembros de la junta solo se traspasaban la culpa de unos a otros dando y dando vueltas alrededor del recinto.

Por fin el entrenador Hardison pidió la palabra e interrumpió aquella discusión:

—"¿Puedo decir algo?", le preguntó al presidente de la reunión.

—"¡Claro! ¿Qué quieres decir?".

—"Yo soy el responsable por la compra del sistema de computación", les dijo Hardison.

—"¿Cómo?", contestó sorprendido el presidente. "¡Ni siquiera sabemos quién eres! ¿Por qué dices algo tan incoherente?".

—"Bueno", dijo Hardison, "¡alguien tiene que ser responsable!".

—"¡Ah, claro!", repuso el presidente.

Cuando Hardison tomó responsabilidad por la decisión de la compra del sistema de computación, logró el control del asunto sobre cómo dar el siguiente paso y resolver el problema. Esta es una buena forma de mostrar "la habilidad de responder", sin tener por qué darle a la palabra *responsabilidad* la connotación de culpa.

Otro de nuestros entrenadores afiliados comenzó como vendedor en una compañía de alta tecnología. En menos de dos años, él llegó a ser el gerente ejecutivo. Cuando le preguntaron cómo lo logró, él contestó: "Consideré la empresa como mía desde el primer día que empecé a trabajar en ella. Si veía un papel tirado en el suelo, lo recogía o le pedía a alguien que lo hiciera. Si había una sección de la empresa que no estaba trabajando, me involucraba y trabajaba allí hasta lograr que diera mayor rendimiento, aunque técnicamente no tuviera nada que ver con mi trabajo, pero yo ya había adquirido responsabilidad por la compañía entera desde el primer día".

Así que si quieres ser un gerente ejecutivo algún día, comienza desde ahora mismo a tomar 100% de responsabilidad por la compañía entera. Nada motivará más a tu equipo que eso.

76. Consíguete un entrenador

Un maestro tiene influencia en la eternidad. No puede predecir hasta cuándo su influencia sigue haciendo efecto.
—HENRY B. ADAMS, HISTORIADOR AMERICANO

Los grandes entrenadores siempre citan a los entrenadores de quienes ellos aprendieron. En el mundo actual, la mayoría de los líderes tiene su entrenador personal —entrenadores de vida exitosos que los llevan a niveles superiores a los que nunca antes habían tenido acceso por sí mismos.

El objetivo del proceso de entrenamiento es permitirle al líder descubrir sus fortalezas encubiertas y traer a esta persona al frente del escenario empresarial en su diario vivir. Todo buen actor, bailarín o atleta, le acredita el progreso de su carrera a un entrenador que le ha dado apoyo y le ha enseñado a lo largo de su carrera. En el pasado, nuestra sociedad celebraba el concepto de entrenador en los campos del deporte y el espectáculo porque esas eran áreas en las que se esperaba excelencia. Los negocios eran solo negocios.

Actualmente, debido al crecimiento de los resultados de recibir entrenamiento, los líderes de hoy en el campo de los negocios tienen la misma oportunidad de explorar niveles más altos de excelencia, tal como lo hacen los atletas y actores. El entrenamiento hace que esa oportunidad sea una parte consciente de la carrera del líder. "Yo creo totalmente que la gente, a menos que sea entrenada, nunca alcanzará su máximo potencial", dijo Bob Nardelli, antiguo Gerente Ejecutivo de Home Depot. Si tú eres un líder, expande tu visión en lo relacionado a tener tu entrenador personal. No tiene sentido continuar solo con el único propósito de probar que sí puedes.

77. Haz que ocurra hoy

¿Cuál sería el propósito del desperdicio de tiempo en una persona que no sabe usar adecuadamente media hora?.
—RALPH WALDO EMERSON

La habilidad de motivar a otros surge de la importancia que le demos al hoy. ¿Qué vamos a hacer hoy?

John Wooden fue el entrenador de baloncesto universitario más exitoso de todos los tiempos. Sus equipos de UCLA ganaron 10 campeonatos nacionales en un periodo de 12 años. Wooden cimentó gran parte de su filosofía de vida y como entrenador, basado en un pensamiento —una sola frase que recibió de su padre cuando él era niño: "Haz de cada día tu obra maestra".

Mientras otros entrenadores guiaban a sus jugadores hacia importantes juegos futuros, Wooden siempre se enfocó en el hoy. Sus entrenamientos en UCLA eran tan importantes minuto a minuto, como sus partidos de campeonato. Según su filosofía, no había razón para no hacer que cada día fuera el más orgulloso de la vida. No había ninguna razón para no jugar tan esforzados en una práctica tanto como en un partido. Él quería que cada jugador fuera a casa cada noche pensando: "Hoy fue mi mejor día".

Muchos de nosotros, sin embargo, no queremos vivir así. Nuestra felicidad se encuentra en el futuro, así que vivimos en el futuro. El pasado es donde comenzaron los problemas, así que vivimos en el pasado. Pero todo lo bueno que haya ocurrido, ocurrió ahora mismo. El liderazgo es para ejercitarse también ahora mismo.

La clave para liderar a otras personas está en tu compromiso para alcanzar grandes metas —pero comenzar ahora. Hoy representa tu vida entera en miniatura. "Naciste" cuando te despertaste y "morirás" cuando te duermas. Así fue diseñado para que vivieras toda tu vida en un día. ¿Todavía quieres ir por ahí diciéndole a tu equipo que estás teniendo un mal día? Cuando ellos te vean haciendo de cada uno de tus días, tu mejor día, tomarán tu ejemplo como una forma de vivir y trabajar.

78. Descubre la fuerza que hay en tu interior

Tu visión se aclarará solamente cuando logres ver dentro de tu corazón. Quien mira para afuera, solo sueña. Quien mira en su interior, ha despertado.
—CARL JUNG

Muchos líderes y gerentes de este país usan subconscientemente el modelo occidental del macho guerrero para liderar, pero ese es un modelo inefectivo.

Scott estudió Kun Fu en Taiwán y su instructor le enseñó acerca de las fuerzas internas en cada ser humano a las que se puede acudir para lograr grandes metas. A medida que Scott fue convirtiéndose en un abogado y consultor prominente, él le acredita a su entrenamiento en artes marciales una gran parte de su éxito.

Scott recuerda: cuando yo vivía en Taiwán y en Estados Unidos, vi demostraciones de maestros de Kun Fu, que por ejemplo, encendían tres velas. Tenían un pedazo de vidrio transparente entre su cara, de tal manera que no pudieran soplarlas. Luego procedían, en la que parecía una acción lenta, a mover su puño entre las llamas, y desde una distancia de por lo menos 12 pulgadas, a apagar las velas. Uno de mis amigos que era cinturón negro en Karate vio una demostración conmigo, me miró y dijo: "Scott, has estudiado Kun Fu, ¿no es cierto?". Y yo le dije: "Un poquito". Él prosiguió: "¿Cómo hacen ellos eso? Yo soy cinturón negro en Karate y una de nuestras pruebas consiste en que tenemos que apagar una vela con nuestro mejor golpe. Podemos acercarnos tanto como sea posible a la llama, y tuve que entrenar horas y horas para lograrlo. Es físicamente imposible hacerlo desde 12 pulgadas de distancia con el golpe más fuerte. Nunca lograría hacerlo con un golpe lento. ¿Cómo lo logran ustedes?".

Yo le contesté: "Bueno, de hecho está basado en un arte llamado *ki*".

Puedo usar la extensión del *ki* para cambiar la postura de mi cuerpo suavemente y estaría practicando el avanzado arte marcial de aikido.

Así que en cualquier actividad que involucre el cuerpo físico, es posible poner en práctica una versión de este arte. Los principios básicos de la extensión del *ki* incluyen enfocarse en tu punto y pensar en él. En aikido te enseñan que si enfocas tu atención en ese punto, el cual está ubicado dos pulgadas debajo de tu ombligo, automáticamente estás centrado.

Eso es todo lo que tienes que hacer. Puedes practicarlo en una reunión, durante el ensayo de alguna presentación uno a uno, no hay ningún misterio en ello.

El instructor de aikido hace una demostración en la cual dice: "Bueno, enfócate en tu punto", y hace presión en tu pecho sin que te caigas porque estás centrado y fuerte. Y luego él te da suavemente una palmada encima de tu cabeza con una mano a medida que te oprime el pecho con la otra mano, y tú de inmediato caes hacia atrás.

Luego el instructor te dice: "¿Qué te pasó? Estabas concentrado en tu punto y cuando eso era así, no te pude empujar. Pero después, tan pronto como te golpeé encima de tu cabeza, ¿qué ocurrió? Tu concentración se fue allá y yo te tumbé sin siquiera intentarlo".

Le hice esa simple demostración a mi padre —el ser más escéptico del mundo— y me dijo: "Debe haber una explicación física para eso". Pero no la había. ¡Él no había movido un solo músculo de su cuerpo! Nada físico. Solo su concentración. Y esa era la diferencia entre su capacidad de estar pegado con sus pies a la tierra, centrado y fuerte, y perder su enfoque.

Mucha gente en su lugar de trabajo no está enfocada. Viven tan descentrados que cualquier evento es como la palmada en la cabeza que los desconcentra. A ti te corresponde centrarlos, como su líder tienes que dar ejemplo de concentración. Puedes irradiar la inmovible fuerza interior de la vida, el *ki* que hay dentro de todo ser humano. En tu próximo reto gerencial, trata de relajarte y permitir que una fuerza más poderosa que tú emerja de dentro de ti y luego enfrenta la situación. No pasará mucho tiempo antes de que tú también seas una leyenda en tu organización, por el simple hecho de estar centrado.

79. Olvídate del fracaso

Una vida invertida en cometer errores, no solo es más honorable,
sino más útil que una vida que no se haya invertido en nada.
—GEORGE BERNARD SHAW

Los líderes de equipos altamente productivos, especialmente al comienzo de su carrera, se obsesionan con el fracaso. Toman una mala conversación resolviendo un problema con un empleado de forma muy personal, se hieren, se depriman, se enfadan y empiezan a odiar su profesión.

Pero pronto se dan cuenta que el fracaso es solamente un resultado. No es bueno, ni malo, es solamente neutral y puede convertirse en una experiencia positiva si se analiza con sabiduría y se tiene en cuenta para ganar experiencia de él. Pero también puede convertirse en una experiencia negativa si se toma de manera personal.

El gran maestro de Lingüística, S.I. Hayakawa, solía decir que había básicamente dos clases de personas: las que fracasan en algo y dicen, "Fallé en eso", y las que fracasan y dicen, "Soy un fracasado". La primera clase de personas está en contacto con la verdad, la segunda, no.

"¡Soy un perdedor!".

Esa queja no siempre parece ser una mentira, sino más bien una forma de pobre autoaceptación. De hecho, hasta asociamos esa exageración con una sentida confesión: "¿Por qué no admitirlo? Soy un perdedor". Pero en términos sicológicos, lo que estamos escuchando es la voz del temor al fracaso, la cual es contraria a la voz de ir valientemente en busca de nuestras metas, esa voz inicial corresponde al deseo interior de rendirse antes de haber comenzado. (Irónicamente, rendirse y fracasar puede convertirse en una motivación externa rejuvenecedora y refrescante. El gran entrenador de fútbol, Woody Hayes, solía decir: "Nada limpia mejor el alma como sacarte el infierno de dentro de ti".).

A medida que lideras en el mundo de hoy, procura mantener presente la siguiente gran verdad: no hay nada de malo en las personas porque cada una de ellas posee dentro de sí lo que necesita para prosperar y triunfar en el campo profesional. Así que concientízate de este hecho y muéstrale a tu equipo cómo dejar todos esos pensamientos de derrota en la caneca a la cual pertenecen.

80. Actúa y consulta a la vez

Los hechos hablan.
—SHAKESPEARE

Scott ha estado ejerciendo el derecho por más de 20 años, tiene su propia firma de abogados desde hace 17 años, e incluso es dueño de otra firma, la cual vendió hace algún tiempo. Ha tenido más de 15 empleados y ha entrenado a otros colegas y ejecutivos.

Él opina: no tengo ni la menor duda de que una cosa es ser entrenador y otra es desempeñar el papel de gerente ejecutivo. Creo que la perspectiva de ser quien está sentado en el banquillo es extremadamente valiosa. Habiendo estado en las dos posiciones, entrenando y siendo entrenado, sé que un entrenador puede llegar a ser una ayuda enorme para el líder en control de alguna situación difícil. Pero también puede ocurrir que contrates al mejor entrenador del mundo, y si el líder al mando decide, por la razón que sea, no hacer uso del entrenamiento, el esfuerzo habrá sido en vano.

A eso se debe que los gerentes ejecutivos sean la gente más importante dentro de la organización, ya que ellos tienen la opción de elegir entre hacer que las cosas sucedan y que no sucedan. El entrenador no va a usar una varita mágica para hacer que las circunstancias cambien, independientemente de esa decisión del líder. Así nada cambiará. Al final, el entrenador solo sirve de guía y brinda asistencia. En últimas, la deci-

sión del líder es la que genera o no la toma de alguna acción
y cambio. De modo que si estás recibiendo entrenamiento,
acompáñalo con acciones sólidas. Por eso se dice que las acciones hablan con elocuencia.

81. Crea una visión

La razón por la cual no se cumplen las metas
más importantes es el hecho de que invertimos
el tiempo haciendo primero lo que no es prioritario.
—ROBERT J. MCKAIN, CONSULTOR EN EL ÁREA DE NEGOCIOS

Sin crear una visión para mi equipo, este vivirá enfocado
en los problemas. Sin metas (término relacionado con visión),
mi equipo solo trabajaría en función de apagar fuegos, guiado
por las emociones y preocupado en la conducta inapropiada
de cada miembro. Yo, como su líder, llevaría una existencia
basada solamente en los problemas.

Pronto terminaría haciendo lo que *siento*, lo cual acortaría
mi visión como líder y reduciría mi capacidad recursiva. Pero
cuando empezamos a *crear*, se amplían las posibilidades para
hacer uso de todos los recursos posibles y elevamos nuestro
nivel de desempeño humano. Por eso mi principal función
como motivador es crear una visión sobre quienes queremos
ser como empresa y luego trabajar de acuerdo con esa visión
como si ya fuera una realidad en el presente. Debe ser una
visión de la cual hablemos a diario, y no solamente una frase
enmarcada y colgada en la pared con la cual nadie se identi-
fique una vez se haya terminado alguna convención empresarial. No es de sorprenderse que una de las mayores quejas
que se mencionen en las encuestas a empleados acerca de sus
líderes sea: "Mi jefe no tenía ni idea de hacia dónde nos diri-
gíamos. Tampoco tenía una visión de nuestro futuro sobre la
cual liderarnos".

Crea una visión ¡y vívela!

82. No intentes anticiparte a críticas inciertas

Valentía no es la ausencia de miedo, sino la certeza de saber que existe algo que es más importante que el temor.
—AMBROSE REDMOON, FILÓSOFO AMERICANO

La peor trampa en la que puedes caer como líder es comenzar a intentar anticiparte minuto a minuto a lo que tus propios líderes piensen de ti, que hagas cosas superficiales para impresionarlos, en lugar de hacer lo necesario para animar a tu equipo. El liderazgo por medio del ejemplo (el tipo de liderazgo más óptimo para motivar a los demás) proviene de desempeñarte cada vez mejor en tu trabajo, independientemente de las circunstancias, o de quien te rodee, y no de vivir intentando anticiparte a lo que otros puedan pensar sobre ti. Te permite fortalecer tu liderazgo día a día y te ayuda a construir tu autoestima.

Paradójicamente, cuanto más nos enfoquemos en hacer un mejor trabajo y permanecer activos para lograr las metas personales y profesionales, mayor ayuda les brindamos a quienes nos rodean. Estar enfocados no tiene nada que ver con egoísmo. No existe nadie menos motivante que alguien que esté siempre tratando de anticiparse a las críticas de otras personas.

83. Lidera la venta hasta lograr tu pedido

Todo ser humano vive vendiendo algo.
—ROBERT LOUIS STEVENSON

Dan Kennedy es un experto en mercadeo que ha hecho mucha venta directa a lo largo de su vida. Su trabajo le ha demostrado que la mayoría de profesionales exitosos, como doctores, abogados, profesores y gente que trabaja en el mundo de los negocios, tiene alguna clase de experiencia en ventas.

Scott recuerda: me preguntaba por qué nunca he tenido dificultades en vincular gente en proyectos. Siempre me ha sido fácil lograrlo. Y cuando escuché la observación de Dan Kennedy, pensé: *¡Él tiene razón!* Antes que tuviera alguna experiencia en venta directa, yo era muy poco convincente para enrolar gente en proyectos e ideas. Sin embargo después que la adquirí me volví excelente en ese aspecto. Así que permíteme compartirte cómo fue esa experiencia que transformó mi vida.

Antes de ir a la universidad, decidí pasar un verano vendiendo libros puerta a puerta en Pensilvania. Atendí a un curso durante toda una semana a una escuela de entrenamiento en ventas patrocinado por una compañía llamada Southwestern, la empresa de venta de libros puerta a puerta más grande de Estados Unidos. (Emplean estudiantes universitarios para trabajar durante el verano).

Durante esa semana aprendimos lo básico. Se trataba de cómo vender al estilo antiguo: aprender tu discurso y memorizarlo. Luego aprendes sobre técnicas de venta puerta a puerta, como por ejemplo cómo inspirar confianza para lograr que te inviten a seguir y posteriormente cerrar el trato (proponiéndole al cliente hacer su orden). En otras palabras, lo que se llama venta clásica.

De hecho, en la primera puerta a la que toqué, hice una venta. Pensé: *¡Funciona! Esto está fácil de hacer.* Pero esa fue la única venta que hice durante dos semanas. Entonces mi jefe de ventas decidió comenzar a trabajar conmigo para ver qué era lo que estaba haciendo mal. Después de observarme, me dio su diagnóstico: "Scott, no estás haciendo el cierre, ni siquiera estás sugiriendo la venta".

—"¿Qué me quiere decir con eso de que no estoy haciendo el cierre? ¡Claro que estoy cerrando!".

—"No, no lo estás haciendo. No cerraste ni una sola vez".

—"¿No cerré?".

—"No. Mira, yo sé que te enseñamos a hacer por lo menos tres cierres, pero no existe ningún límite. Solo empieza por mostrarles un poco sobre los libros, luego haces tu cierre. Y si ellos dicen 'No, no estoy interesado', tú dices 'Sé lo que me quieres decir' y les sigues mostrando un poco más, y después vuelves a hacer el cierre".

Entonces yo dije: "Eso es una locura. Me van a echar a patadas".

—"¡Inténtalo!".

—"Bueno, de la otra forma no estaba funcionando, así que, ¿por qué no?".

En la siguiente puerta a la que golpeamos presenté los libros un poco y luego le sugerí a la señora que me estaba atendiendo que hiciera su pedido y ella me contestó: "Bueno, en realidad no estoy interesada".

—"Está bien, sé exactamente lo que me dice", le dije. Luego continué mostrándole un poco más y volví a sugerirle que hiciera su orden. Y ella dijo: "Bueno, no sé. No tengo dinero".

—"Sé exactamente cómo se siente", le dije.

Seguí mostrándole más y volví a hacerle la oferta de hacer su pedido. Hice lo mismo durante por lo menos cinco veces y pensé: "¿Cuánto tiempo va a tomarme hacer esto? Ella no me ha sacado de su casa, así que seguiré intentándolo".

Y finalmente, después de seis intentos, ella dijo: "¡Está bien!".

Yo estaba sorprendido.

Poco después, algo increíble ocurrió.

Resultó ser que esta querida señora trabajaba en un banco justo ahí en Gettysburg, Pensilvania. Un día fui al banco a depositar todos mis cheques de las ventas que hice, y la vi allá. Trabajaba como cajera. Deposité mis cheques y ella parecía avergonzada de verme, así que pensé: *¡Oh, no! A lo mejor la forcé a comprar y ahora ella se siente incómoda. Pero, de todas maneras, siempre les decimos a nuestros clientes que se puede cancelar la orden.*

Decidí acercarle mi depósito y decirle: "Quiero depositar mis cheques".

Y ella me contestó: "Scott, espero que no te haya molestado que me tomara tanto tiempo para decidir, pero solo quería estar segura de que sí quería esos libros. Ahora estoy feliz de haberlos comprado".

¡Qué buena lección aprendí! Desde esa ocasión jamás volví a sentir temor de hacer el cierre de una venta. En términos de liderazgo, esto simplemente significa que debes pedir lo que quieres, siendo muy directo en tu requerimiento, centrando la comunicación en el pedido y en las necesidades del cliente.

Observa lo que tus clientes necesitan y enfócate en eso. Luego véndeles tus ideas. No olvides hacer el cierre, ni hacer un requerimiento específico y seguro (el cierre), así recibirás un pedido igualmente específico y seguro.

84. Sé fiel a tus principios

En cuestión de estilo, nada con la corriente;
en cuestión de principios, sé firme como una roca.
—THOMAS JEFFERSON

"Disciplínate a ti mismo y otros no tendrán que disciplinarte", les decía el entrenador John Wooden a sus jugadores. "Nunca mientas, ni hagas trampa, ni robes" y "Gánate el derecho a estar orgulloso y confiado de ti mismo".

Esa es una buena forma de comenzar a entender por qué John Wooden fue el entrenador de baloncesto más exitoso de todos los tiempos. Nadie ha llegado a tener un éxito siquiera parecido, ni ha logrado motivar a sus deportistas tanto como Wooden.

Rick Reilly, el talentoso escritor deportivo, recuerda:

"Si jugabas en su equipo, tenías que seguir todas sus reglas: no hacer puntos sin reconocer el trabajo de equipo. Una palabra blasfema y quedabas excluido de la jornada. Trata a tu oponente con respeto. El entrenador Wooden no creía en los eventos inesperados con los que se puede ganar un campeonato. No creía en el dribleo por la espalda ni entre las piernas. ("No hay necesidad de eso", solía decir). Ni un solo número del equipo de baloncesto de UCLA era retirado bajo su supervisión. ("¿Qué de los jugadores que jugaron con ese mismo número antes? ¿No contribuyeron ellos a su equipo?", diría el entrenador Wooden). No se admite el pelo largo ni la barba. ("Se demoran mucho en secarse y de pronto agarras un catarro saliendo del gimnasio", diría él). Un día el famoso Bill Walton se presentó con barba y ante el llamado de atención, él adujo: "Tengo ese derecho". Wooden le preguntó si verdaderamente así lo creía. Walton contestó que sí. "Está bien, Bill", dijo el entrenador. "Admiro las personas que tienen convicciones profundas, en realidad las admiro. Te extrañaremos". Walton se afeitó allí mismo y al instante. Actualmente Walton llama una vez por semana al entrenador para decirle que lo ama.

Tienes dos formas de motivar a otros. Una es buscando agradar. La otra es, como hizo John Wooden, ganando respeto. Cuando logras inspirar un respeto profundo, tu equipo terminará amándote.

85. Crea relaciones

Una vida basada en reacciones, es una vida de esclavitud intelectual y espiritual. Uno debe buscar una vida llena de acción, no de reacciones.

—RITA MAE BROWN, ESCRITORA DE NOVELAS DE MISTERIO

Cuando un líder en entrenamiento está teniendo dificultades para motivar al equipo, todo parece indicar que el problema siempre está relacionado con que dicho líder está relacionándose con su equipo basado en sus *reacciones*, a lo largo del día.

Los líderes que se comportan de esa manera se regodean en sus reacciones negativas hacia los demás. Tiempo después de escucharlos, quienes están cerca de ellos comienzan a tener la curiosa impresión de estar escuchando la letra de una canción de música country. Ya sabes la clase de canciones a la que nos estamos refiriendo. Sus temas son, por ejemplo, "Me han herido tantas veces, no voy a recuperarme jamás", o "No confío en las mujeres", "No se puede confiar en los hombres". Canciones de ese estilo tienen títulos como "¿Está haciendo frio aquí o eres tú la frívola", "Mi esposa se fue con mi mejor amigo y extraño a mi amigo".

La música country, en sí misma, es formidable, y las canciones realmente tristes —las que expresan lo poético de la victimización— tienen su propia belleza, pero su filosofía, como tal, no es una forma efectiva de conformar el equipo motivado que queremos.

Los líderes que se pasan la vida reaccionando emocionalmente ante la conducta de sus subalternos, son verdaderamente miserables. Lo que en realidad necesitan es hacer un giro favorable, no drástico, pero sí un giro como el de un carro recién sincronizado. Necesitan dejar de reaccionar para pasar a crear. Reaccionar se les convirtió en un hábito, y como es un hábito, es completamente posible hacer cambios.

El entrenador en el área de Negocios, Dan Sullivan, está en lo cierto cuando dice: "La dificultad en cambiar de hábitos consiste en el hecho de que estamos cambiando algo que es por completo natural para nosotros. Los buenos hábitos se sienten como naturales, los malos hábitos, también, esa es la naturaleza de un hábito. Cuando cambias un mal hábito, que se siente natural, a un buen hábito, que también se siente natural, te sientes exactamente lo mismo, sino que los resultados son completamente diferentes".

Uno de los primeros pasos en la vía a cambiar el hábito de reaccionar ante la conducta de aquellos con quienes trabajamos, es hacernos una simple pregunta. Fue la misma pregunta que se hizo Ralph Waldo Emerson hace muchos años: "¿Por qué mi felicidad depende de los pensamientos que están en la mente de alguien diferente a mí?".

Esta pregunta, sin importar cuál sea la respuesta en determinado momento, nos da la perspectiva mental de que necesitamos comenzar a ver las posibilidades para relacionarnos creativamente con otras personas en lugar de solamente reaccionar ante ellas.

86. No tengas miedo de hacer exigencias

A medida que te ubicas en posiciones de confianza y poder,
sueña un poquito antes de empezar a pensar.
—TONI MORRISON, ESCRITOR

¿No te gustaría poder *pedirle* a tus superiores que tu responsabilidad se enfocara en ayudarle a tu equipo solamente en algunos aspectos? Liderar sería más fácil si se convirtiera en una cuestión de llenar unos requisitos y cumplir unas promesas, haciéndoles seguimiento a unos resultados. Podría ser así de sencillo. Te ayudaría saber, incluso antes de preguntar, que toda persona (incluyendo tus superiores, clientes y empleados) estaría de acuerdo en ello.

Una vez tomamos un seminario sobre comunicación, y uno de los ejercicios que nos hicieron estaba diseñado para dramatizar el hecho de que la gente en realidad quiere decir que sí.

Nos prepararon una actividad que consistía en idear tres requerimientos irracionales que hicieran que la persona a la cual se le formularan contestara que no. Esta fue la propuesta: *tienes* que conseguir tres respuestas negativas antes que termine el tiempo asignado.

Pensamos que sería un asunto sencillo. Después de que Scott terminó de cenar se le acercó a una señora que estaba en la mesa más cercana y le dijo: "Sabe una cosa, señora, estoy un poco corto de dinero, ¿me podría pagar mi cena?". Él pensó que esa sería una propuesta absurda y que ella le diría que se perdiera de su vista.

Scott quedó sorprendido cuando ella le respondió: "Bueno, no estoy segura de tener suficiente dinero en este preciso momento para pagar tu cena", así que él comenzó a intentar llevarla a tener que decir que no.

— "Está bien, solamente le estaba preguntando, pero usted es libre para decirme que no".

¡Y ella no decía que no! Se limitaba a decir: "No sé, no estoy tan segura...".

—"En otras palabras, ¿me está diciendo que no?".

—"Supongo que no. ¡No!".

—"¡Gracias!".

Scott tuvo que trabajar muy duro para hacerla decir que no. Luego, cuando se dirigía a la registradora para pagar su cena, había un hombre que estaba esperando a ser atendido y Scott pensó: *No habrá problema para hacerle decir a este hombre que no.*

—"Estoy un poquito corto de dinero", le dijo Scott. "¿Me podría pagar mi cena, por favor?".

—"No estoy muy seguro de eso. ¿Qué le sucede?".

—"No se preocupe, puede decirme que no".

Le tomó un buen rato (pronto Scott estaba casi rogando para obtener un no como respuesta) pero finalmente consiguió que el hombre le dijera que no.

Solo le faltaba otro no. Entonces Scott se dirigió a la señora que estaba junto a él y le dijo: "¿Usted sí podría pagarme mi cena?". Ella había escuchado lo que acababa de ocurrir ¡y no le pareció que fuera algo muy difícil de hacer! Pero lo fue. Y después de una larga negociación, cuando ya casi estaba lista para pagar por la cena, finalmente dijo que no.

Ese ejercicio nos enseñó bastante. Todo lo que la gente quiere decir es que sí.

Entonces ahora, cada vez que tenemos un proyecto que queremos realizar, nos sentimos libres de ir y comenzar a proponerlo. No tenemos ningún temor ni duda en hacer lo que la gente llama propuestas irracionales porque sabemos por experiencia (después de haberlo verificado muchas veces) que la tendencia natural de la gente es a decir que sí.

Por lo tanto, pide lo que quieras y en el orden en que lo quieras. Si tu equipo quiere algo importante, intenta por todos los medios conseguírselo porque cuando les consigues lo que ellos necesitan, sus requerimientos se convierten en buenos resultados para el equipo en cuanto a sus propósitos para alcanzar sus metas. Además aprenderán el valor de hacer requerimientos.

87. No hagas cambios radicales

Se requiere de un acto valeroso de coraje admitir ante uno mismo que no se es defectuoso en ninguna área posible.
—CHERI HUBER, ESCRITOR Y FILÓSOFO ZEN

Mucha gente que escucha nuestras conferencias o lee nuestros libros nos contacta en busca de nuestros entrenamientos y dice: "Realmente necesito hacer un cambio. Quiero cambiar mi vida totalmente. He sido un líder inconsciente, autoritario y paranoico, pero ahora deseo aprender a ser un mejor líder". Ante eso, les contestamos lo mismo que todos: "No necesitas un cambio, lo que necesitas es hacer un amable giro".

Para hacer que tu auto deportivo pase a una nueva velocidad, ¿necesitas sacar la caja de cambios en instalar una nueva? ¿O simplemente necesitas usar otro cambio? Y cuando lo usas, ¿es difícil? ¿Tan difícil como cambiar una llanta? ¿O solo es cuestión de un pequeño esfuerzo? Para que tu mente te lleve al siguiente nivel de liderazgo, todo lo que necesitas es cambiar de velocidad, no cambiar la caja de cambios, solo se requiere utilizar otro cambio.

¿Necesitas cambiar de actitud? ¿Cómo? ¿Por qué? ¿Cuál sería la nueva actitud? ¿Cómo adoptarla? *Actitud* es una palabra que la gente mayor utiliza para intimidar a los menores. Es el artefacto de sometimiento más sofisticado: "Más te vale que cambies de actitud, hijo".

—"¿Cómo, papá?".

—"No juegues conmigo, hijo".

—"¿Qué es actitud, papá? ¿Cómo hago para identificarla, y aún más, para cambiarla?".

—"Tu actitud es inadecuada, eso sí debes saberlo".

Si alguna vez fuiste parte de una conversación similar a esa, te equivocaste en cuanto a la forma adecuada de comprender qué es un cambio. Puedes llegar a reinventarte, pero ese cambio ocurre como resultado de una serie de giros amables. Es un proceso, no una revolución. Se convierte en un estilo de vida.

¡Solo comienza!

88. Llena tus correos de entusiasmo

Ningún pesimista ha descubierto jamás el secreto
de las estrellas, ni zarpado a tierras desconocidas,
ni abierto un nuevo cielo al alma humana.
—Hellen Keller

Cada correo que le envías a tu equipo es una oportunidad, una ocasión más para energizarlo y llenarlo del optimismo que se necesita para contagiarlo de entusiasmo en tu nuevo proyecto. Sin embargo, 9 de cada 10 líderes, la pasan por alto y en lugar de aprovechar, envían correos neutrales o cortos, y a veces hasta molestos. Esto hace que enviarlos sea un error porque tu primera obligación con los demás, incluso antes de informarlos, es motivarlos.

Así que comencemos por esto: acepta que el correo es un medio de comunicación frívolo. No hay un tono de voz en él, ni brillo en los ojos, como tampoco una expresión cálida. Es solo una conexión electrónica impersonal. Además, hasta un correo neutral se vuelve monótono por esta vía. Inclusive la transferencia de una simple información se siente fría y negativa, a menos que tú busques la forma de llenarla de entusiasmo. Siempre procura energizar al equipo con que trabajas.

Toda comunicación de un líder a un subalterno es una oportunidad para infundir optimismo, no la pierdas ni la desperdicies. Un verdadero líder nunca permite que eso le ocurra. Te recomiendo que revises tu correo antes de enviarlo. ¿Es reconfortante? ¿Expresa reconocimiento hacia quien va a recibirlo? ¿Lo halaga? ¿Lo inspira? ¿Va a causarle felicidad?

Si no es así, toma un minuto extra para revisarlo y cambiar el tono negativo por uno positivo, para que produzca entusiasmo. Pregúntate: *¿Me sentiría feliz si recibiera este correo? ¿Sería halagador? ¿Me haría sentir apreciado al recibirlo?*

Estudios acerca de la conducta humana siguen demostrando que el refuerzo positivo funciona más de siete veces mejor que las críticas negativas, cuando se trata de cambiar la conducta. Esta clase de críticas causa resentimiento, enojo y sabotaje. Te sabotearán tu liderazgo si quienes se relacionan contigo se sienten alienados y menospreciados.

Procura todo de tu parte para llenar de dinamismo las circunstancias y observa qué ocurre. No lo creas por fe, aplícalo y experiméntalo. Envíale a la mitad de tu equipo un correo neutral y a la otra mitad, uno positivo. Mira cuál de los dos obtiene mejores resultados. Así tendrás oportunidad de comprobar este concepto, experimentándolo, y estarás feliz con los resultados que tengas.

89. Deja de empujar

Ve tras la cuerda y te llevará a donde deseas.
Oprímela, y no te llevará a ninguna parte.
—DWIGHT D. EISENHOWER

Thomas Crum da seminarios sobre cómo utilizar la filosofía aikido en la vida diaria. Él le llama a lo que enseña "la magia del conflicto". Scott recuerda haber estado presente durante una de sus demostraciones y comenta que Crum invitó a un voluntario que hacía parte del público a pasar al escenario y pararse frente a él.

"Ponga su mano así", le dijo Crum al voluntario a medida que él ponía su mano hacia arriba como si fuera a hacer un juramento, agarrando la mano levantada del voluntario, quien de manera natural, reaccionó automáticamente empujando a Crum hacia atrás.

Entonces Crum dijo: "Ese es el instinto del ser humano. Yo empujo y tú me ofreces resistencia y también me empujas".

Luego le pidió al voluntario extender su mano en forma de puño. El voluntario obedeció y entonces Crum cerró su mano en forma de puño y lo puso en frente del voluntario y los dos se empujaron el uno contra el otro con sus puños enfrentados.

—"Esta es la forma en que, con mucha frecuencia, enfrentamos la vida", dijo Crum. "De la misma manera ocurre en situaciones en donde, tanto tú como yo estamos tratando de ganar. Sin embargo en aikido nunca ofrecemos resistencia".

Justo en ese momento Crum bajó su puño e instantáneamente el voluntario quedó junto a él (en aikido te vuelves en dirección a la persona que está al pie tuyo). Crum se puso frente al voluntario y lo llevó rápido y con gentileza hasta el piso.

Crum dijo: "Esto sí es aikido. Ya no ofrezco más resistencia, así que dejamos de pelear. ¿Y adivinen qué? Estamos perfectamente alineados y es muy fácil para mí llevar a esta persona hacia donde yo quiera. Y así es como trabaja en aikido".

De hecho, la palabra *ai ki do* significa "doblegar nuestras fuerzas internas", no enfrentar fuerza contra fuerza. Y cada movimiento en aikido llega al punto en que tanto el ki del agresor como el mío, se mezclan. Justo en ese punto, en el cual estamos en alineación, yo tengo control sobre la otra persona y sobre lo que le pase a ella y a su cuerpo. Control total. Sin hacer ningún esfuerzo. Eso se debe a que estamos en completo alineamiento.

La aplicación de aikido para motivar a otros es profunda porque realmente yo no quiero resistirme a lo que mi equipo está haciendo o diciendo. Lo que quiero es guiar su energía interna innata hacia metas comunes —suyas y mías. Quiero recibir y canalizar la energía interna de mis subalternos... No quiero oponerme a ella ni utilizarla mal.

90. Hazte consciente

Un jefe inspira temor, un líder, confianza.
Un jefe busca culpables, un líder, corrige errores.
Un jefe lo sabe todo, un líder, hace preguntas.
Un jefe hace que el trabajo sea desgastante, un jefe,
lo hace interesante.
—RUSSEL H. EWING, ESCRITOR

Si yo fuera un líder inconsciente, ¿todavía podría aprender a ser un verdadero líder? ¡Claro que sí! Si vas a transformarme en un líder exitoso, comienza por lograr que lo que es inconsciente en mí, se vuelva consciente y claro. Ese es el primer paso. Es un proceso tan simple como enseñarme a usar un programa de computación.

Muy probablemente habrás dirigido alguna reunión sobre liderazgo y has dejado muy en claro por qué y cómo planeas liderar, asegurándote de dejar todo en orden. Si hay más líderes en la reunión, incluso aquellos a los que tú lideras, tú los invitas a hacer lo mismo. Mientras más abiertos estemos hacia cómo planeamos liderar, más motivados estarán nuestros equipos.

Uno de los ejercicios que desarrollamos en nuestros seminarios de liderazgo es pedirles a los participantes que escriban el nombre de una persona a quienes ellos admiren por su estilo de liderazgo. Puede ser la abuela, un jefe de pelotón, un profesor o el gerente de una compañía en la que hayan trabajado anteriormente. Hay quienes incluso escriben un líder de la Historia Universal que haya influenciado en sus vidas, como por ejemplo John F. Kennedy o Winston Churchill.

A lo mejor quieras hacer ese ejercicio ahora mismo. Piensa en alguien en tu propia vida a quien respetes como líder. Escribe su nombre. Luego escribe tres cualidades acerca de esa persona. No sigas leyendo hasta que hayas hecho el ejercicio.

Bueno, ahora observa esas tres cualidades. Pueden ser las que quieras —honestidad, mente abierta, total confianza en ti, creatividad, estilo de enseñanza sin hacer juicios— lo que sea que hayas escrito, obsérvalo. Es más que probable, nueve veces de diez, que *tú tengas* esas cualidades como líder. ¡Y deben ser tres cualidades que tu equipo comenta acerca de ti! Míralas, ¿no es cierto? ¿No es así como eres?

Este es un poderoso ejercicio porque te muestra cómo has internalizado y modelas la clase de líder que admiras. Pero hasta ahora, ha sido un pensamiento inconsciente. El truco consiste en hacerlo consciente y vivir de acuerdo con ello, a diario.

No hay nada tan descorazonador para un equipo de trabajo, que percibir que su líder es manejado por pensamientos inconscientes que se manifiestan en la toma de sus decisiones. La gente se siente desilusionada al tener que estar adivinando cómo procede su líder en el diario vivir.

Es mucho mejor y más productivo que tanto tú como tu equipo sean absolutamente conscientes de por qué creen en lo que creen.

91. Proyéctate al futuro

La verdadera esencia del liderazgo es que tengas visión.
No puedes darte el lujo de ir a tientas.
—NOTRE DAME

Los líderes, con alguna frecuencia, permiten reuniones de equipo y conferencias persona a persona, que se enfocan excesivamente en el pasado. Sin embargo la repetición constante de cómo solían ser "de fáciles" las cosas antes, desmoraliza al equipo debido a que pasan innecesarios periodos de tiempo comentando, ventilando y revisando errores que ya pasaron. Todo esto afecta el futuro del grupo, así como el nivel de optimismo y moral, además del deseo de obrar bien y en la dirección correcta.

Un buen motivador no cometerá el error de enfocarse excesivamente en el pasado, sino que lo utilizará como un incentivo que conlleve a discutir acerca del futuro: "¿Qué aprendimos de ese error que nos sirva de beneficio para el futuro? Y si vuelve a ocurrir ¿cómo hacemos para manejarlo mejor?".

Para un buen motivador, el pasado solo sirve con un propósito: proveer material para construir el futuro. El pasado no debe servir para estancarnos, ni como excusa para remordimientos, culpar a otros, causar nostalgia, atacar ni adoptar una actitud derrotista. Un líder exitoso sabe que liderazgo significa guiar a otros hacia el futuro. De la misma forma en que un jefe scout guía a su grupo hacia el bosque, así mismo un verdadero líder guía a su equipo hacia el futuro.

Un cambio necesario para ejercer un mejor liderazgo puede incluir que aprendas a incrementar constantemente tu forma de comunicarte en función del futuro, como por ejemplo discutir cómo será tu próxima semana, planear el siguiente mes, diseñar tus metas para el año entrante y buscar oportunidades para un futuro a dos años a partir de ahora. Sé cuidadoso y prepárate bien cuando se trate de discutir acerca del futuro. Si no conoces los detalles a la perfección, sí debes asegurarte de conocer muy bien los compromisos futuros, la visión y las estrategias para cumplir tus metas por venir.

Los líderes que no saben cómo motivar, inconscientemente desconocen e imparten miedo acerca del futuro diciendo lo impredecible y peligroso que este puede ser, exagerarán los posibles problemas que surjan y magnificarán lo impredecible de todas las circunstancias. Intentarán parecer realistas, cuando de hecho, es más honesto confesar que no han hecho la tarea de planeación que les corresponde. Tú estarás ejerciendo tu liderazgo en el momento en que motives a otros hasta el punto en que te conviertas en una fuente de información y tengas un excelente nivel de comunicación con respecto al futuro de tu equipo de trabajo.

92. Enséñales a enseñarse a sí mismos

Si quieres que un hombre sea para ti, nunca le permitas sentir que depende de ti. Hazle sentir que, de alguna manera, tú dependes de él.
—GENERAL GEORGE C. MARSHALL

Scott recuerda una historia que el profesor Mercado le contó acerca del gran virtuoso Jascha Heifetz y el terriblemente difícil concierto de violín de Tchaikovsky.

El maestro de Heifetz fue el conocido violinista Leopold Auer. Mercado dijo en una ocasión: "El mismo Auer no pudo tocar el concierto de violín de Tchaikovsky a la velocidad que era. Nunca ha sido interpretado de esa forma antes de Heifetz".

¡Heifetz fue el primero en interpretar esta pieza a esa velocidad! Y si Auer, su profesor, no lograba interpretarla de esa forma, y estaba enseñando a Heifetz, ¿entonces cómo Heifetz logró hacerlo?

Algunos dirían: "Él era talentoso".

Pero esa no era la explicación, según Mercado. Él dijo: "Scott, si Auer estuviera enseñando a Heifetz cómo tocaba él, entonces Heifetz nunca habría tocado ese concierto de Tchaikovsky a esa velocidad. Pero eso no era lo que Auer estaba haciendo. Él estaba *enseñándole a Auer cómo enseñarse a sí mismo* a interpretar ese instrumento. Y así fue como el discípulo aprendió a ser mejor que su maestro".

Esa es una distinción muy poderosa, y es precisamente la razón por la cual Auer fue un extraordinario maestro.

Tu meta es enseñar como Leopold Auer lo hizo, sin ningún temor de que aquellos a quienes lideras lleguen a ser mejores de lo que tú eres porque eso es lo que hacen los grandes entrenadores y líderes. Ellos no nos enseñan cómo hacer una buena carrera, sino *cómo educarnos a nosotros mismos* para lograr hacer una buena carrera.

93. Deja de disculparte por los cambios

*Si el costo del cambio externo excede el costo
del cambio interno, el final está cerca.*
—JACK WELCH

Los líderes que se disculpan por todos y cada uno de los cambios a los que su equipo debe acomodarse, están sembrando la semilla de la baja moral y la desilusión. Cada vez que ellos presentan una nueva política empresarial, producto, sistema, regla o proyecto, se disculpan por eso, lo cual implica que el cambio es peligroso para el bienestar del equipo y que es algo que se espera que no ocasione mayor sufrimiento. Todo esto se hace con el propósito inconsciente de parecer considerado y buscar aceptación, pero termina por conformar un equipo de víctimas, y a la vez alarga el tiempo que se toma el equipo en asimilar y sentirse cómodo con el cambio.

Un verdadero líder no se disculpa por un cambio ni se deja atemorizar por lo que este implica. Más bien, aboga a su favor. Un líder comunica continuamente los beneficios de una organización que produce cambios frecuentes. Un líder respalda una organización que se reinventa a sí misma continuamente a niveles mayores de productividad e innovación.

Todo cambio ocurre por una razón. Fue planeado porque eran más los pros que los contras. Así que, si deseas ser un líder altamente motivador, aprende a ver los aspectos positivos una y otra vez. Encuentra todo lo que necesitas saber acerca de la nueva situación porque de eso se trata el liderazgo, de comunicar lo positivo.

Los líderes inconscientes por lo general se sienten tan incómodos con los cambios como se sienten sus equipos de trabajo, por eso se disculpan constantemente, lo cual da a pensar que el equipo está desconectado por completo de la misión empresarial. Pero eso no ocurre en tu caso. Tú eres un líder y siempre estarás pendiente de reconectar al equipo con la misión de la empresa. No tendrás que disculparte por los cambios. ¿Por qué hacerlo por algo que mejorará la organización? Todo cambio ocurre con el único propósito de fortalecer la viabilidad óptima de la empresa. Por eso es que tú defiendes los cambios. Y por eso se los vendes a tu equipo.

94. Deja que la gente encuentre la diferencia

La gente pregunta cuál es la diferencia entre un líder y un jefe. El líder trabaja al descubierto mientras que el jefe trabaja encubierto. El líder dirige y el jefe maneja.
—THEODORE ROOSEVELT

Scott recuerda de nuevo al entrenador y maestro Rodney Mercado y su clave maestra para obtener interpretaciones formidables de la gente a la cual él enseñó y motivó:

Si escucharas a dos de los estudiantes de Mercado tocar sus instrumentos en un mismo momento, jurarías que con toda seguridad ellos no tuvieron el mismo profesor. Dirías que es físicamente imposible porque los dos interpretan estilos totalmente diferentes. Mucha gente que toma clases de música sabe que es posible identificar al profesor por la manera en que toca el estudiante.

Pero con Mercado, no solo no se podía hacer eso, sino que además jurarías que sus estudiantes no tenían el mismo profesor, lo cual parecía algo imposible. ¿Cómo lo lograba? Por un lado, él nunca nos decía "no", y por el otro, nunca nos decía *cómo* tocar nuestro instrumento.

Un ejemplo típico, algo muy fundamental, era cómo sostener el arco. Él decía: "Bueno, Scott, lo que quiero que hagas es tratar de sostener tus manos así", y hacía que yo adoptara una posición extrema, como sosteniendo mi mano tan a la derecha como me fuera posible mientras pudiera sostener mi arco. Me hacía tocar mi música de esa forma y luego decía: "Muy bien, ahora quiero que hagas todo lo opuesto", y me hacía poner mi mano hacia la izquierda tanto como yo pudiera —en una posición bastante incómoda— y luego diría: "Interpreta este pasaje".

Después preguntaba: "Ahora, si tuvieras que elegir uno de esos dos extremos, ¿cuál elegirías?".

—"Bueno, inclinándome a la izquierda porque es un poquito más converso que hacia la derecha".

—"Lo que eso te dice, Scott, es que seguramente quieres sostener tu mano en una posición entre el extremo máximo a la derecha y el extremo máximo a la izquierda, y es probable que sea más hacia la derecha que hacia la izquierda. Encuentra la posición que mejor te funcione".

Y si yo le decía: "¿Y qué ocurre si otra gente dice que tengo que sostener mi mano de otra manera?".

Entonces Mercado me referiría a una cantidad de ejemplos de violinistas profesionales que lo hacían distinto. Y me pedía que analizara por qué.

—"¿Qué te enseña eso, Scott?".

—"Que no hay una manera correcta de hacerlo".

Y esa era su forma de enseñar. Así que aprendí de esa experiencia, por eso cuando se trata de motivar a la gente, adapté esa filosofía para explicar que nunca hay una sola forma adecuada para hacer las cosas. En lugar de mostrarle a mi equipo "la forma correcta" de hacer una llamada telefónica, o de reunir información sobre un cliente, les ayudo a desarrollar su propia forma de hacerlo. La lección que aprendí en los tiempos de mis clases de música fue que la gente se motivará a sí misma en su propia forma si tú gentilmente los guías en esa dirección.

95. Sé un optimista persistente

Un líder es negociante de esperanza.
—NAPOLEÓN BONAPARTE

El pesimismo es el más fundamental de todos los errores que un líder puede llegar a cometer. Es una posición que adquiere el líder acerca de no ser optimista sobre el futuro de la organización, y por consiguiente, también sobre el futuro de su equipo. Es negarse a preparar las reuniones de trabajo basándose en las decisiones empresariales. Es el rechazo a tomar en cuenta el éxito de la compañía y a abogar por las estrategias elegidas para alcanzar las metas propuestas.

Además es una tendencia exagerada a reconocer y estar de acuerdo con las debilidades y no con las fortalezas. A veces el optimismo parece ser una posición solitaria y valiente, razón por la cual muchos líderes deciden no tomarla. Lo triste es que es precisamente eso lo que, con frecuencia, el equipo quiere y necesita de parte del líder.

Mientras que el líder inconsciente no se da cuenta de lo que está logrando al ser pesimista todo el tiempo, un verdadero líder sabe con exactitud lo que es el optimismo y para qué sirve: el optimismo es la práctica de enfocarse en oportunidades y posibilidades, y no en quejas y remordimientos.

Un verdadero optimista no es una Pollyanna descerebrada usando gafas con lentes color rosa. Un verdadero optimista es mucho más realista que eso. Un verdadero optimista no tiene miedo de confrontar y entender los problemas de la empresa. Pero una vez que el problema haya sido identificado y analizado por completo, el optimista retoma la perspectiva de pensar que esa es una oportunidad y una posibilidad.

Los líderes optimistas reconocen las debilidades de toda situación, luego enfocan la mayor parte de sus pensamientos en las fortalezas que ven allí. Además, lo que comunican está centrado en ellas porque saben que su equipo tiene muy presente cuáles son las debilidades de la circunstancia que se presenta, pero no las fortalezas. ¿Quién quiere parecer un idiota optimista? Es mucho más común y fácil ser un astuto y agudo pesimista. Pero eso no es liderazgo.

Ser optimista frente a un equipo pesimista y quejambroso requiere de mucho coraje y energía. Es algo que la mayoría de los miembros del equipo no estaría dispuesto a hacer. Ese es el corazón y el alma del liderazgo. Y a pesar de que seas atacado por esa posición, al fin de cuentas, es esa la razón por la cual los miembros de tu equipo te apreciarán más.

96. Presta atención

No esperes alejar totalmente tus preocupaciones, ni las alimentes prestándoles toda tu atención, y se desvanecerán imperceptiblemente. Enfoca tus pensamientos en tus ocupaciones, llena los intervalos de compañía, y tu mente se colmará de claridad.
—SAMUEL JOHNSON

Todo a lo que le prestas atención, se expande y crece. Préstales atención a las plantas de tu casa, y crecerán. Préstale atención a tu causa favorita, y tu pasión y conocimiento te llevarán a triunfar en ella. La atención funciona así. Hacia donde la dirijas, el objeto de tu atención crecerá.

Cuando le hables a los miembros de tu equipo, presta atención en los resultados finales que quieres obtener, no en los esfuerzos que ellos hicieron para alcanzarlos. Cuando halagues a tus subalternos, presta atención a los resultados que ellos obtuvieron y que tú querías, no a los intentos ni esfuerzos que hicieron. La mayoría de líderes pasa por alto este punto tan vital: se mantienen premiando los esfuerzos sin darse cuenta que al hacerlo envían al subconsciente el mensaje de que intentarlo siempre es suficiente, y esto hace que su equipo pronto empiece a pensar que si ellos muestran que se están esforzando, si pueden mostrar que están teniendo mucha actividad, entonces no tendrán que enfocarse tanto en los resultados finales.

Asegúrate de que tus reconocimientos estén basados en resultados más que en ningún otro aspecto. Si lo haces de esta forma, tendrás mejores rendimientos al final. *Tú* tienes que ser quien permanece hablando de cifras si quieres que tu equipo las tenga presentes y las alcance. Si, en lugar de eso, sientes conmiseración por lo difíciles que son las cosas y les premias lo mucho que lo están intentando, entonces esto es lo que obtendrás: pocos resultados y más esfuerzos. Lo que sea que premies, crecerá. Siempre. Es la Ley de la Siembra y la Cosecha.

La atención tiene resultados poderosos. Aun así, la gente permite que su atención caiga atrapada por fuerzas externas en uno y otro asunto a lo largo del día: una llamada telefónica, un correo molesto, alguien preguntando miles de cosas, hasta que finalmente la atención se dispersa y se centra en cosas como estas. Con razón decimos "presta atención", pues siempre está puesta en algo, se centra en lo que sea que decidamos centrarla. Si la centras en lo que quieres (como por ejemplo, resultados medibles y específicos), obtendrás más y más de lo que buscas.

97. Crea una rutina

La paciencia y la perseverancia tienen un efecto mágico ante el cual las dificultades desaparecen y los obstáculos se desvanecen.
—JOHN QUINCY ADAMS

Tener un liderazgo exitoso no es fácil, pero tampoco es imposible. No es tan difícil como nos lo hacemos creer a nosotros mismos. El mayor obstáculo sicológico para el éxito motivacional es el mito de las características permanentes. Es la gente que piensa que sus hábitos de acción no son hábitos, sino genes. Creer en esa mentira atrapa a muchos en una prisión, ¡en una telaraña de hierro de limitaciones innecesarias!

Los patrones constantes de acción que tú y yo demostramos a lo largo del día son el resultado del hábito, no de características inmodificables ni de defectos de carácter o personalidad. Si no nos agrada cierta tendencia que tenemos (como por ejemplo postergar esa conversación importante con un empleado que se ha ido descarriando), entonces el primer paso para corregir esa tendencia es analizar por qué ocurre: por hábito. Un hábito es un patrón de conducta adquirido por repetición. Si repetida y consistentemente yo postergo mis tareas difíciles para hacer las fáciles, se me convertirá en un hábito. Es en comportamiento humano del sistema neurológico.

Entonces ¿qué hacemos? Construimos un nuevo hábito hasta crear una rutina. Es correcto: ¡una rutina! Por favor, repítete a ti mismo: "No necesito autodisciplinarme para lograr esto, tampoco necesito una nueva personalidad, ni fortaleza de carácter, como tampoco voluntad de carácter: *lo único que necesito es una rutina*".

Uno de nuestros más destacados mentores y entrenador en la productividad de los negocios, Lyndon Duke, dijo una vez que había pasado muchos años degradando su propia autoestima lamentándose de la condición de desorden de su apartamento. Él vivía solo y era un genio en los negocios altamente activo, que trabajaba muy largas y exitosas horas, pero no podía mantener en orden su apartamento. Se tildaba de ser una persona desorganizada e indisciplinada. Pronto, en su propia mente, él era detestable. Su característica permanente: detestable.

Finalmente se le ocurrió pensar que lo único que necesitaba era organizar una rutina. ¡Eso era todo lo que le hacía falta! No le faltaba voluntad de carácter, ni otra personalidad, ni autocontrol, simplemente le faltaba una nueva rutina.

Así que se reorganizó: "Dedicaba 20 minutos a organizar mi apartamento todas las mañanas". Los lunes, mientras el café hervía y los huevos se cocinaban, durante esos cortos y breves instantes, él arreglaba la sala. Los martes, la cocina. Los miércoles, el dormitorio. Los jueves, el hall y la entrada. Los viernes, la oficina y la terraza, Y cada sábado en la mañana, durante veinte minutos, hacía una limpieza profunda en el lugar que más la necesitara. Esa se convirtió en su rutina. Lo fascinante de la rutina es que termina convirtiéndose en hábito.

"Al principio, era incómodo y extraño", decía. "Y pensé que era algo poco natural e incómodo a lo que probablemente no me acostumbraría, pero me puse una meta de 90 días seguidos haciéndolo. Sería libre para dejar de hacerlo si mi teoría no funcionaba. Mi teoría era que solo necesitaba una rutina, y que una vez que mi rutina *se convirtiera en hábito,* sería una parte de mi vida que fluiría de manera natural y sin esfuerzo".

Él estaba completamente correcto en todo. La primera vez que fuimos a visitarlo, mucho después que su rutina se había convertido en hábito, notamos lo ordenado y limpio que se había convertido su hogar. Supusimos que había conseguido a alguien para que le ayudara con su apartamento. Más tarde nos contó sobre el poder, el asombroso poder de desarrollar e implementar una rutina.

"Lo hago de una manera tan natural que a veces ni siquiera me acuerdo de haberlo hecho", nos dijo. "Entonces tengo que chequear la sala y la encuentro en completo orden, es decir, que lo hice sin siquiera pensarlo".

¿Te odias a ti mismo porque no te preparas para tus reuniones de equipo? ¿Estás molesto porque observas que tus correos están robándote tiempo precioso en tu vida personal y como líder? No te está haciendo falta ninguna clase de fortaleza interior, te está haciendo falta una rutina. Chequea tu correo a una hora específica durante dos veces al día e infórmale a tu equipo que eso es lo que estás haciendo.

Si algo no está funcionando en tu vida profesional, si puedes ser más productivo si solo fueras "tan disciplinado en esto y aquello", entonces deja de preocuparte porque no hay nada de malo en ti. Es cuestión de una adecuada rutina, eso es todo lo que necesitas implementar, y si lo intentas durante 90 días, será una actividad sin esfuerzo y tan natural, que nunca tendrás que volver a preocuparte al respecto.

98. Ofrece recompensas

El amor es siempre creativo y el temor es siempre destructivo.
Si solo pudieras amar lo suficiente, serías la persona
más poderosa del mundo.
—EMMET FOX, AUTOR Y FILÓSOFO

El principio más importante de la motivación es: obtienes lo que premias. Funciona en toda relación. Es cierto con las mascotas, las plantas, los hijos y la pareja. Obtienes lo que recompensas. Y es especialmente cierto en cuanto a la motivación de tu equipo de trabajo. El refuerzo positivo de la conducta deseada funciona mucho más rápido y más permanentemente, que criticando la conducta negativa. Los que están en relaciones amorosas tienen miedo de esto todo el tiempo. Los líderes que buscan premiar a su gente por su buen desempeño, obtienen mejores desempeños que los líderes que se pasan el día apagando fuegos causados por el pobre desempeño de sus subalternos.

La razón por la que la mayoría de la gente no maximiza este concepto de recompensa es porque ellos esperan demasiado a ponerlo en práctica. Esperan hasta decidir si vale o no la pena recompensar, y pronto, antes de que se den cuenta, surge un problema por resolver. Entonces ya es demasiado tarde.

Dedica una cierta porción de cada día a recompensar a tu gente, incluso si se trata de solo un reconocimiento verbal. Haz una llamada, envía un correo. Recompensa. A veces las recompensas verbales y escritas, más que las financieras, son las que tienen mayores efectos e inspiran a cada persona a hacer más por la empresa.

Adquiere una copia de *1001 Ways to Reward Employees*, de Bob Nelson, un excelente estudio de cómo las compañías recompensan a sus empleados, y léela con un resaltador amarillo o rojo a la mano. Aquellos que lo hacen, incrementan la productividad de su equipo. Quienes subrayan y resaltan partes de ese libro, luego adaptan esas ideas en iniciativas propias que ponen en práctica. Muchas de ellas no toman mucho tiempo extra, solo el compromiso extra para brindar en realidad una recompensa.

99. Disminuye la velocidad

Nada tan concluyente demuestra la habilidad del hombre para liderar a otros, que lo que él hace día a día para liderarse a sí mismo.
—THOMAS J. WATSON, ANTIGUO GERENTE EJECUTIVO DE IBM

Liderarás mejor si disminuyes la velocidad. Harás más, además. No parecería que esto fuera cierto, no parece tener lógica que si desaceleras, lograrás desarrollar más actividades. Pero lo es. Cada vez que lo hagas, obtendrás más. Cada día que experimentes bajarle a la velocidad, entenderás la verdad que se encuentra tras la moraleja de la tortuga y la liebre.

El elemento más importante a desacelerar es saber que siempre estás trabajando en lo que necesitas y que es lo indicado en todo momento. El consultor de Negocios, Chet Holmes, dice que él y sus clientes trabajan de esa forma asegurándose de que cada día haya seis tareas en la lista de cosas por hacer. Esa lista les permite bajar la velocidad.

"¿Por qué solo seis tareas?", pregunta Holmes. "Porque con una lista más larga que esa, generalmente intentas recortarla, te pasas el día tratando de recortarla y al final sientes que la mayoría de las tareas importantes se quedaron sin hacer. Miras la lista y dices: 'No hice lo más importante'. ¡Existe un impacto sicológico negativo en no terminar tu lista! Por eso es mejor escribir seis tareas... y luego asegurarte de hacerlas, Te sorprenderá cuánto avanzas".

Si estoy en la vía equivocada, no importa qué tan rápido avanzo por ella, aun así, sigue siendo equivocada. Tengo que recordarme a mí mismo lo siguiente: disminuye la velocidad y ganarás. Necesito tomarme el tiempo adecuado y con calma. Quiero que esa conversación que voy a tener sea relajada y directa para que la relación que tengo también se vuelva relajada y directa. Así que es bueno y me ayuda repetirme a diario: desacelera. Incluso más de lo que ya desaceleraste.

100. Decide ser grande

Cuando la vida demanda de la gente, más de lo que la gente demanda de la vida —como suele suceder—, el resultado es un resentimiento con la vida, casi tan profundo como el miedo a la muerte.
—TOM ROBBINS, ESCRITOR

Ya sea ahora, o en tu lecho de muerte, comprenderás esta extraña verdad: no existe excusa para no ser grande. Si eres un líder, eso es lo que eres. Si solo eres un gerente, encárgate de gerenciar, bueno, gerencia, pero ¿qué tan realizado te sientes? ¿Qué tan orgulloso te sientes de tu labor? ¿Qué tan orgullosa está tu familia?

Algún día decidirás ser *grande* en lo que haces. No volverás a mirar atrás, ni te arrepentirás de haber tomado esa decisión. No parecerá un gran evento el momento en que lo decidiste, pero de todas maneras sabrás que fue una decisión trascendental. No tendrás ni que repensarlo. Existe una razón por la cual es bueno ser grande: la gente querrá seguirte y comenzará a respetarte, querrá ser más como tú y hacer más por ti.

Y si eres honesto contigo mismo, algún día te darás cuenta de esa verdad por tu propia experiencia, ya sea ahora o en tu lecho de muerte: no había excusa para no ser grande.

101. Muéstrale a tu equipo cómo encontrar su *"Yo quiero"*

¡Aquel que tiene un por qué, encuentra el cómo.
—FEDERICO NIETZSCHE

Los líderes efectivos aprenden a captar la diferencia —el contraste entre estos dos conceptos—. El primero tiene que ver con el "cómo" y el segundo con el "yo quiero". La mayoría de líderes que está tratando de motivar a los demás cree que lo que hace falta en la vida es el "cómo". Cuando ellos vienen a nosotros para entrenamiento, con frecuencia dicen: "Yo *quiero* lograr esto pero no sé *cómo* hacerlo. Yo *quiero* triunfar en aquello, pero no sé *cómo*".

Lo que muchos piensan que no tienen es el "cómo". Sin embargo lo que realmente les hace falta es el *"Yo quiero"* —el deseo, el enfoque, el compromiso, la voluntad para dedicar tiempo—, centrándose de manera ininterrumpida en lo que dicen que no saben *cómo* hacer, aunque ese *cómo* esté en todas partes.

Lo hermoso de esta época en que vivimos es que tenemos acceso a internet por dondequiera y allí encontramos de todo —cómo hacer esto y lo otro, cómo redactar un llamativo correo de rebajas, cómo encontrar una empresa de un cliente específico, en pocas palabras, lo que queramos, así que el "cómo" no es en verdad lo que nos hace falta.

Lo que se necesita es que el guerrero que hay en ti encuentre las ganas, el deseo para dedicar tiempo a lo que quieres alcanzar de una manera devota, dedicada e ininterrumpida.

Esa es la fórmula secreta que la gente no aplica. Es a lo que le llamamos el ingrediente del "Yo quiero", y cuando queremos incrementarlo, siempre vemos que está relacionado con el hecho de dedicar tiempo al asunto que queremos lograr. Si *yo quiero* pintar mi casa, lo que se evidencia es la falta de tiempo para hacerlo. Esa es la constante. Si *yo quiero* escribir un libro, al observar en mi agenda, lo que es evidente es que no tengo el tiempo para ello. Si *yo quiero* una mejor relación con mi equipo, mi agenda de nuevo me muestra que no tengo el tiempo que necesito para estar más con ellos y escucharlos.

102. Apoya las pruebas

El trabajo más grande que tenemos es enseñarle a un empleado recién contratado cómo fallar inteligentemente. Necesitamos entrenarlo para que experimente una y otra vez, y que siga ensayando y fallando hasta que logre encontrar la solución que le funcione.
—CHARLES KETTERING

¿Cómo le enseñamos a la gente a tener acceso a su "Yo quiero"? ¿Cómo encontrar tiempo en la agenda? Esa es la parte más importante para alcanzar cualquier meta. Eso es motivar a los demás, es acerca de dos ideas curiosamente opuestas, las cuales la mayoría de la gente ha conectado entre sí: *probar* versus *confiar*. Muchos piensan que estos dos conceptos están interconectados —necesito confiar en algo antes de ponerlo a prueba, tengo que estar seguro de que me funcionará antes de probarlo—. Pero cuando tu equipo aprende a deshacerse de la parte de confiar, que conforma esa ecuación, tus subalternos alcanzan más metas, mucho más rápido, y encuentran más diversión en la vida.

Contribuye a que ellos experimenten cuánta diversión hay en el hecho de probar lo que sería la vida sin tener que confiar y sencillamente comenzar por probar las cosas. Después que sugieres ese modo de operar, los miembros de tu equipo con frecuencia te dan a conocer algún aspecto que los está reteniendo de alcanzar la vida profesional efectiva que quieren lograr. Te dirán algo como: "Bueno, supongo que solo tengo que confiar en que ese método que usted me sugiere funcionará también para *mí*. Supongo que tendré que confiar en él".

Entonces es probable que digas: "No, por favor, no confíes".

Esa creencia de tener que confiar en algo antes de probarlo es en realidad un pobre manejo de liderazgo porque al hacerlo así, tus subalternos están añadiendo una tarea adicional a su lista de cosas por hacer, que no necesitan añadir. Es una tarea difícil y complicada: ¡confiar! Confiar de antemano en que algo que no conocen, y en lo cual no tienen experiencia, no funcionará. ¿Cómo lo logran? No les pidas que lo hagan. Pídeles que simplemente lo prueben, no necesitan intentar confiar en algo desconocido antes de haber pasado por la etapa de la prueba.

Muchos se frenan a sí mismos pensando: *"No creo que funcionará. No tengo mucho interés en eso. No tengo suficiente pa-*

sión. No confío todavía. Supongo que debo confiar más, antes de empezar este programa".

Y entonces se quedan estancados en estas ideas emocionales y sentimentales. Lo que los retiene de triunfar es el sentimentalismo, el cual se manifiesta en conceptos como creer en ti mismo, en un proceso, confiar en él, deseando, teniendo esperanzas, confianza —todos estos conceptos románticos que nos retienen. Creemos que son necesarios —"Supongo que tengo que creer en mí mismo para seguir adelante y ser un excelente vendedor". ¡En ningún momento! Solo prueba los principios. Prueba nuestro sistema de ventas.

Cuando eres un bebé nunca tuviste que confiar en que caminar funcionaría. No tuviste que pensar si serías capaz de aprender a caminar de la forma en que caminan los adultos, sino que tuviste que confiar en el proceso.

Tambaleaste, vacilaste, te caías y te levantabas, o llorabas. Pero luego volvías y lo intentabas, tambaleabas una vez más hasta que por fin caminaste. No fue que tuviste que desarrollar un grado de confianza, primero. Eras un bebé, querías experimentar y tenías la voluntad para probar.

A medida que creciste, veías que tus amigos montaban bicicleta en el vecindario, y que tus hermanos también tenían sus propias bicicletas y las montaban fácil y alegremente. Pero entre más mirabas la bicicleta, más te parecía que no tenía sentido que esas dos ruedas te sostuvieran. Seguro pensabas que sí te caerías al intentar subirte en ella y arrancar. Sin embargo, decidiste intentarlo hasta que por fin conseguiste estabilidad. Nunca tuviste que confiar en que la bicicleta te sostendría para intentarlo, todo lo que tuviste que hacer fue estar dispuesto a probar.

Esto es igualmente cierto acerca del liderazgo y la motivación a los demás. Cuando tus líderes te presentan nuevos sistemas, tú lideras el camino de tus subalternos disponiendo tu voluntad para ir de inmediato y probar lo que aprendiste.

Luego, cuando eres tú quien se los enseñas a tu equipo, tú pides lo mismo: que los prueben.

En el mundo de hoy, la tecnología cambia constantemente. Vemos más cambios en un año que los que nuestros padres encontraron a lo largo de su vida. Hay una enorme resistencia al cambio y mucho escepticismo hacia nuevos sistemas. Cuando apoyas el valor que tiene el hecho de probar, dejas de perder el tiempo tratando de confiar y pidiéndoles a los miembros de tu equipo que también confíen, ya sea en ti, en el sistema nuevo o en la empresa. No te preocupes cuando tu gente no crea que algo novedoso funcionará. Tú no les estás pidiendo eso.

Recuerda que cuando aprendiste a montar en bicicleta, no confiabas en ella para nada. A lo mejor tu conversación interna era algo así como: *Esto jamás funcionará, no veo cómo habría de funcionar, le funcionará seguro a otros, pero no creo que me funcione a mí.* Cuando tu equipo exprese esa clase de pensamientos, hazles saber que es normal pensar así. Muchos líderes opinan que si sus subalternos piensan así acerca de su proceso de ventas, o de su nuevo sistema de comunicación con sus clientes por medio de textos, tienen que primero comenzar por cambiarles a todos sus sentimientos y formas de pensar sobre el cambio. Eso no es cierto.

El niño vuelve a la bicicleta porque la está probando, no porque esté confiando en ella. No le importa para nada el hecho de confiar sino el de probar, probar y probar hasta llegar a: "¡Mírenme! ¡Estoy montando en mi bicicleta!". Nuestra recomendación cuando la gente está aprendiendo una forma nueva de "cómo" hacer algo, es que lo pruebe —una y otra vez— en lugar de tratar de comprender cómo confiar en tal novedad. Steve tiene un entrenador escolar que enseña principios y prácticas para construir un negocio próspero. Y dentro de la escuela tiene dos poderosos miembros de la facultad que tienen los métodos, los sistemas y las estrategias para conseguir clientes, que son comprobados, que se enseñan magistralmente y los cuales, cuando se ponen en práctica, realmente funcionan.

No se requiere de confianza. Sin embargo, antes de que la gente venga a la escuela, leen todas esas estrategias, opciones y sistemas para construir su práctica y dicen: "Creo que voy a tener que confiar en el hecho de que ir a su escuela me funcionará".

Y Steven les contesta: "No necesariamente. Le diré cómo ha sido la experiencia para la gente que ya ha estado en nuestra escuela. Aquellos que practican (prueban) lo que les enseñamos, triunfan. Tú también puedes venir a practicar y probar, o puedes venir, morderte las uñas y dudar si esto te funcionará. Pero si eres la clase de persona que todo lo decide por confianza y observando, en lugar de inmiscuirte de lleno en el asunto, entonces será como ir al gimnasio y buscar una silla para sentarte a mirar cómo todo mundo pone en práctica sus rutinas. La cuestión es que puedes aprender sobre todo lo que necesitas acerca del ejercicio, sin necesidad de ir al gimnasio. Es la *acción* la que lleva a la gente hacia el siguiente paso".

Las sorpresas más increíbles ocurren en el campo de las ventas cuando los clientes se dan la oportunidad de *probar* productos y servicios antes de comprarlos. Algunos se refieren a esta parte del proceso de venta como "la etapa de convencimiento sobre la compra", pero realmente se trata del simple derecho de permitirle al cliente *probar*, esa es la forma más poderosa de llevarlo a comprar.

Con frecuencia nos referimos a este como el sistema de ventas *por carameleo*. Si vas a una tienda de venta de mascotas queriendo comprar un perro y no logras decidir, el vendedor te dirá: "Le propongo algo, llévese a casa por unos días al perrito que estaba abrazando, sin ningún compromiso ni obligación, ni costo. Si no quiere comprarlo, tráigalo y yo se lo vuelvo a recibir". Esa es la mejor manifestación de comprar probando, y tú la puedes aplicar en todo momento y lugar.

103. Trasmite el amor a los desafíos

La vida es un reto, acéptalo.
—MADRE TERESA

Algunos de los descubrimientos más importantes en la vida de los líderes con los cuales hemos trabajado, proceden de haber aprendido a ver los beneficios que se obtienen de enfrentar retos. Hemos visto que también es provechoso retarnos a nosotros mismos, y nos ayuda a sobrepasar situaciones que antes veíamos como problemáticas y poco a poco se convirtieron en desafíos que traen provecho. Y cuando lo vemos de esa forma, cuando en verdad sacamos provecho de los retos, entonces es cuando logramos un estilo de vida completamente diferente liderando a otros, estilo que la mayoría de líderes no logra.

Muchos de ellos evitan los retos, y cuando no logran evitarlos, se enojan por tener que abordarlos, lo cual resulta en su baja autoestima y en la de su equipo de trabajo que ve a su jefe pasando trabajos con los retos que surgen. Muchos líderes, especialmente aquellos con mentalidad de víctima, tienen este estilo de vida laboral: despiertan en la mañana y comienzan a tratar de descifrar qué es todo aquello que van a intentar eludir. Despiertan y dicen: "¡Oh, no! ¿De qué me desharé hoy? Tengo que ver mi calendario para ver qué tengo que hacer y no quiero. ¿Cuáles son hoy mis obligaciones? ¿Qué quiero que no ocurra?".

Este es un estilo de vida con la misión subconsciente de evitar retos porque esta persona no ve los beneficios que le trae el hecho de enfrentar desafíos y los ve como afrenta e insulto a su confortable vida y al intentar eliminarlos, a la larga termina siendo más retado que el resto de la gente, porque esa persona no ha aprendido a ver el beneficio de los "obstáculos".

Veamos un ejemplo físico de los beneficios de los retos. Los estudios muestran (y te referimos al libro *Biomakers*, pero puedes comprobarlo con tu propio cuerpo) que la gente que se reta a sí misma desde el punto de vista físico, termina sintiéndose mejor—con un mejor estilo de vida, mayor claridad y más ánimo.

Se hicieron unos estudios entre personas entre los 80 y 90 años de edad a quienes se les propuso comenzar a levantas pesas poco a poco. ¿Qué horrible cosa —un pobre hombre de 85 años de edad— y ponerlo a levantar pesas? ¿Bromeas? Lo que ocurrió fue que estos ancianos se fortalecieron, su corazón se puso mejor, la capacidad de sus pulmones se incrementó, al igual que el metabolismo, el sistema nervioso, la circulación, el semblante y la salud en general, todo en ellos mejoró debido a la actividad de levantamiento de pesas, a la edad de 85 años, e incluso a los 90. ¡Ese es el beneficio de aceptar retos! ¡De retar tu cuerpo!

Muchas veces, tú como líder tendrás a alguno de tus subalternos reportándose con un "problema" (escribimos la palabra "problema" entre comillas) y está muy enojado de tener que lidiar con esa situación, sin darse cuenta de que es eso precisamente lo que lo convertirá en un profesional más feliz, más fuerte y mejor. Tu subalterno no ve los beneficios del cambio. Motivar bien a otros incluye prepararlos para enfrentar los retos de la vida, no para eludirlos automáticamente. Eso es lo que le da madurez a tu equipo, y si ellos comienzan a ver que los retos les hacen bien, la vida se volverá más divertida y ellos, más fuertes.

La forma de ver lo provechoso de aceptar desafíos no es sentándose y repitiendo esa afirmación en la mañana —"Los desafíos me benefician, los desafíos me benefician". Ese podría ser un buen comienzo, pero seguido de experiencias que te ayuden a vivenciar y ver si en realidad los retos te benefician. Y la forma de hacerlo es retándote a ti mismo como líder.

Estás a punto de embarcarte en un proyecto: ¿qué tal retarte a ti mismo? ¿Hacia dónde te gustaría esforzarte? ¿Qué nuevo campo te gustaría explorar? A medida que lo hagas, permite que tu equipo te observe. Ser un modelo de aceptar retos es 100 veces una herramienta de enseñanza más efectiva que el simple hecho de explicarla nada más en teoría.

Estábamos trabajando vía Skype con uno de nuestros clientes, que es muy creativo, y se encontraba pasando por un buen momento, con muchos clientes y bastante por hacer. Su situación lo hacía sentirse muy alegre y su semblante se reflejaba en la cámara de Skype. De repente dijo: "Esta recesión es lo mejor que le ha pasado a este país".

La razón por la que él opinaba de esa forma estaba relacionada con su visión acerca de los retos. Valorarlos es lo que hace que logres la vida que deseabas cuando todavía eras un jovencito. Cuando eras un niño y decías: "¡Veamos si puedo saltar hasta allá!". Intuitivamente sabías que esa era la parte divertida, que allí era donde estaba la diversión —en los retos, no en la comodidad—. Si te encontrabas con el hecho de que tu hijo era un chico energético de verdad y le decías: "Sé que estás corriendo, jugando y saltando en tu bicicleta, y parece peligroso, así que prefiero que estés más cómodo. Entra a la casa que voy a darte mucha comida y chocolates, quiero que veas una película, cariño. Estarás muy cómodo".

El niño te dirá: "¡Más tarde voy!".

Un adulto te aceptaría la invitación de inmediato.

Los padres siempre intentan traspasarles a sus hijos su propia versión de comodidad, y los líderes hacen lo mismo con sus equipos. Pero esa idea de comodidad se malinterpreta y se convierte en un error.

Nuestro país todavía está pasando por una recesión aparentemente interminable. Está atravesando por un tiempo maravilloso de retos porque se le han retirado las tarjetas de crédito a muchas personas —"Lo siento, no más dinero gratis". Algunas otras cosas también han sido retiradas —"¡Ops! La vivienda tampoco es gratis, solo parecía que lo fuera"—. Hasta los empleos también se ha ido acabando.

Automáticamente, la gente no quiere enfrentar retos, todos prefieren la comodidad, pensionarse, no tener que seguir trabajando, y todo esto es perjudicial porque la vida sin retos es miserable. Muchos hablan con entusiasmo sobre los desafíos que afrontan y sobre cómo los enfrentaron.

El Dr. Thomas Szasz hizo su mejor comentario al decir: "Todo acto consciente de aprendizaje requiere de la voluntad que se tenga para afrontar algún sufrimiento. A eso se debe que los jóvenes, antes de tener consciencia de su autoestima, aprenden muy fácilmente".

104. Aprende a ayudar a los pesimistas

El pesimismo conlleva a la debilidad,
el optimismo, a la fortaleza.
—WILLIAM JAMES

A lo largo de los años en que hemos entrenado gente o trabajado con organizaciones y entrenado a su personal, hemos observado que la forma más rápida de convertir a un pesimista en optimista es inspirándolo. Las personas con mentalidad de víctima y los pesimistas, detestan que los animen, que los corrijan, y hasta que los enseñen, ya que su posición es siempre a la defensiva.

Cuando los líderes tienen dentro de su equipo personas con mentalidad de víctima, con frecuencia cometen el error de tratar de corregirlos mostrándoles que están equivocados. Con seguridad dicen: "Bueno, eres una especie de víctima —eres muy pesimista con este proyecto", entonces esa persona se pone más a la defensiva y trata de defender su posición, inclusive hasta afianzarla todavía más. De esta forma sí será más complicado hacerle cambiar su posición pesimista porque sintió la necesidad de defenderla y sintió amenaza en tu acusación.

Aunque tu intención fue hacer que tu subalterno se convirtiera en alguien más feliz y con una mentalidad más abierta, lo que en realidad lograste fue empujarlo hacia un mayor grado de pesimismo.

Mucha gente comete ese mismo error, y no solamente en el área de los negocios. Critican a su hijo adolescente de ser temperamental y pesimista, lo cual solo conduce a esa pobre personita hacia una posición más arraigada porque todo lo que escucha es que *hay algo malo en mí, nadie me acepta ni me entiende*. Ahora, hasta provocaste en él un mayor grado de alienación.

Todo esto de arreglar, mejorar y criticar, no motiva a los demás. No es una forma segura ni efectiva de liderazgo, no ayudará al pesimista a identificarse a sí mismo como tal, ni a mostrarle que ha mejorado, ni le da mejores estrategias para aprender a analizar más proactivamente. No funcionará ni contribuirá en nada.

La forma más rápida y mejor de ayudar a un pesimista es mediante la inspiración. *¿Me he convertido en modelo de inspiración en la vida de esta persona?* Esa es la reflexión más profunda que debes hacerte.

La gente dice con frecuencia: "Tengo a mi alrededor a alguien con mentalidad de víctima y he tratado de ayudarle una y otra vez. He querido mostrarle el camino pero no lo sigue, y por el contrario, su mentalidad es cada vez más de víctima".

La pregunta es: "¿Estás sirviéndole de inspiración? ¿Representas algún motivo de inspiración?". Porque si no, no le estás ayudando. Entonces se cumple de nuevo aquella premisa que dice que no se trata de inspirar a quienes me rodean, sino de buscar mi propia inspiración, antes que nada. Motivar a otros comienza con la motivación que yo personalmente encuentro en mi propia vida.

¿Es posible convertirme en una figura de inspiración? Si yo no soy una figura que inspira en la vida de estos pesimistas a mi alrededor, ellos no se volverán optimistas a través de mi ejemplo. Es probable que se vuelvan optimistas a través de algún evento inspirador, de alguna persona o situación motivantes, (hasta un libro inspiracional sirve), pero no será a través mío a menos que yo me convierta en una figura inspiradora en su vida. Esa es la ruta entre ser un pesimista y volverse optimista −es algo que ocurre con la ayuda de inspiración.

Mira atrás en tu propia vida. Todos los mayores cambios que has hecho, y que te han llevado hacia la luz, hacia ser un mejor líder, más creativo, a actuar con más valentía, madurez y motivación, todos ocurrieron con ayuda de alguna inspiración. Nunca fueron debido a alguien que te criticó ni trató de arreglar tu conducta, ni haciéndote sentir mal, hiriéndote o criticando tus sentimientos o haciéndote poner a la defensiva. Esa no es una ruta efectiva hacia el cambio. Así nadie cambiará.

Mucha gente dice: "Bueno, ¿qué se dice de las críticas constructivas? ¿Qué ocurre con la retroalimentación crítica?". Pues en realidad no existe eso de "la crítica constructiva". Mira hacia atrás en tu vida y observa cómo algo o alguien inspirador se te apareció y de repente comenzaste a desplazarte hacia un nivel más alto de consciencia, creatividad y valentía.

Por otra parte, mira atrás y pregúntate ¿en qué momento alguna crítica, ya sea de tus padres, familiares o gente con la que has trabajado, ha sido constructiva? No me estoy refiriendo al hecho de que te hayas beneficiado de ella o de que hayas encontrado o no la forma de acatarla, después de haber lidiado con tus emociones. A lo que me estoy refiriendo es a qué tan constructiva fue dicha crítica en ese preciso momento. ¿Construyó algo? ¿Construiste sobre ella ahí mismo? ¿Te pusiste a la defensiva? ¿Intentaste desde lo más profundo de ti justificar lo que fuera que estuvieras haciendo y que fue el objeto de las críticas? El concepto de la crítica constructiva es en realidad el más malentendido en el mundo de los negocios, las relaciones interpersonales, como padres, en la construcción de equipo y en el deseo de motivar a los demás.

105. Vuélvete entusiasta

Una idea mediocre que genera entusiasmo, llegará más lejos que una gran idea, que no inspira a nadie.
—MARY KAY ASH

Entonces ¿qué funciona? La inspiración, el entusiasmo, generar amor por la misión que se tiene en la vida. Ese cambio es primordial en toda persona. ¿Cómo hago para que un pesimista se transforme? No tengo control sobre él, la única forma es modelando y sirviéndole como ejemplo de inspiración —en alguien que inspire por la forma en que escucha y se comunica, por su forma de ser. Cuando todo eso sirve de inspiración, ocurren cambios. Si estoy liderando a un grupo, tengo que *ser* como quiero que cada uno de ellos sea. No es suficiente con decirles cómo quiero que se comporten, sino que necesito mostrarles de qué se trata.

Si me ven con un cliente, o prospecto, quiero mostrarles qué significa brindarle aprecio a ese cliente, o cómo hacer una venta, de tal manera que surja un buen acuerdo y se cierre el trato entre ese prospecto y yo, rápidamente. Quiero mostrarles e inspirarlos.

La gente ve los Olímpicos, y las membresías de los gimnasios se incrementan siempre debido a que muchos se sienten inspirados por lo que esos deportistas están haciendo. O ven a alguien cantando en YouTube y el video se esparce con rapidez causando lágrimas en quienes lo ven. Las lecciones de canto aumentan por todas partes.

Cuando otros hacen grandes cosas, y nos damos cuenta, sentimos deseos de imitarlos. Así que la vía indicada para ayudarle a cualquiera —a un pesimista, a una persona con mentalidad de víctima, a quien sea que lo necesite— es trabajando en mí mismo y haciendo que mi mundo sirva de mayor inspiración mediante el estilo de vida que llevo, inspirador, entusiasta y lleno de amor hacia los demás. Cuando ellos sienten todo esto, es eso lo que les produce las ganas de cambiar. La gente quiere ver opciones de vida mejores, no que les digan qué está mal en la vida de ellos. Quieren ver qué es lo correcto.

106. Mira a tu equipo como si ya fuera perfecto

Encuentra lo mejor de cada persona. Espera lo suficiente,
y cada quien te sorprenderá. A lo mejor, hasta les tome años,
pero te mostrarán lo mejor de sí. Solamente espera.
—RANDY PAUSH

He aquí la paradoja final de ayudar a un pesimista o persona con mentalidad de víctima: la gente cambia más rápido cuando no necesita cambios. Si yo estoy sentado contigo y a mis ojos y en mi corazón tú eres perfecto tal como eres, entonces tienes mayor libertad para cambiar. Ahora tienes una sensación de seguridad y paz, así como todo el espacio que necesitas, para cambiar.

Si mi esposa llega y me dice: "Creo que voy a ponerme en dieta", y yo le contesto: "¡Gracias a Dios!", ella no va a sentirse tranquila. Es probable que yo diga que la estoy apoyando, pero parece todo lo contrario. ¿Qué sería lo más adecuado para decirle? Ella dice que se va a poner a dieta y yo le digo: "¿Por qué?".

—"¿No te parece que debería perder un poco de peso?".

—"No, creo que te ves perfecta así como estás. Yo no voy a opinar, ese es un interés que tú tienes, es tu mundo, tu vida, yo estoy bien contigo así como eres, luces perfecta para mí".

—"¿Entonces no crees que debería perder peso?".

—"No, si tú no quieres".

—"¿Me apoyarías? ¿Me ayudarías? ¿Me ayudarías con la comida que voy a tener que comer durante esta dieta porque crees que necesito perder peso, ¿no es cierto?".

—"No, solo porque quiero apoyarte en todo. Tú quieres hacer dieta, por lo tanto yo te ayudo".

—"Está bien, ya entiendo".

Tú puedes hacer eso mismo para motivar a la gente. Esa esposa está ahora más motivada que cuando se sentía criticada o juzgada. Si alguien es perfecto así como es, entonces tiene libertad para andar un nuevo camino sin sentir que es una obligación, que tiene que hacerlo o que debería porque otros así lo piensan.

Las opiniones de otros acerca de mí son una motivación muy pobre para producir cambios. Los pensamientos de otros no son suficiente motivación ya que con ellos no lograré mis metas, sino que comenzaré a sentir *rechazo* por algo que me parece *obligatorio* hacer. Mis opiniones acerca de lo que realmente quiero son las que en verdad cuentan y por eso son divertidas, y en ellas es en lo que me quiero enfocar. ¡Eso sí es motivación!

Quiero vivir el optimismo, no predicar acerca de él. Muchos cometen ese error. "Trato de decirles a mis hijos... Siempre he tratado de decirles cómo... Trato de que sean más...". No les digas, muéstrales cómo con tus acciones. Inclusive el tono de tu voz no era optimista. Siempre estabas molesto con ellos porque no eran optimistas. Tú eres la víctima. Tú eres el pesimista en la causa, no ellos. Ellos solo están siendo ellos mismos, así que relájate. Trabaja en ti y haz que la vida transcurra, observa lo que ocurre con los pesimistas y quédate tranquilo si no ocurre nada de inmediato. Míralos como si ya fueran perfectos.

107. Aprende a manejar la relación problema-solución

Todo problema trae implícito un regalo.
—RICHARD BACH

¿Qué ocurre cuando surgen problemas? ¿Qué hacemos para resolverlos lo más pronto posible?

El primer paso es **captar el problema**.

Escríbelo. Sácalo del contexto emocional y efímero, de lo horrible y confuso que pueda llegar a hacerte sentir esta nueva circunstancia. Para lograr aislarlo de lo que te haga sentir, escríbelo y ubícalo en un lugar en el que siempre veas lo que escribiste. Esto hace que el problema quede reducido a un escrito. Habrás escuchado la frase: "¿Podríamos reducir esto a escribirlo?". Parece como si la palabra clave en esa frase fuera *escribirlo*, pero en realidad, la importante es *reducir*. Tu problema queda reducido de inmediato.

Cada vez que un problema está en mi mente, significa que tengo algo sin resolver que se está interponiendo entre mi concentración y lo que sea que estoy haciendo. En realidad no estoy concentrado totalmente en mi labor cuando tengo algo en mente y no encuentro la solución, y eso solo significa que todavía no lo he captado del todo, que no lo he consignado por escrito.

El segundo paso es **redefinir el problema**.

No es simple cuestión de escribirlo en un lenguaje selecto. A lo que me refiero es a escribirlo de tal manera que deje de ser un problema y pase a convertirse en un proyecto.

Personalmente, me siento contento de tener proyectos frente a mí en los cuales trabajar. Mi autoestima profesional se deriva del sentimiento de alcanzar logros, de sentirme realizado, de tener mi ego feliz cada vez que culmino cualquier proyecto. La verdad acerca de los problemas es que de hecho son beneficiosos en nuestra vida, especialmente si no los vemos como problemas. Por eso necesitamos quitarles esa carga emocional negativa y redefinirlos como "proyecto".

El tercer paso es ¡**conseguir ayuda**!

En otras palabras, contarle a alguien. Siéntate con tu contador. Si tienes un entrenador, siéntate con él. Toma el proyecto sobre el cual escribiste y ponlo frente a tu entrenador, mentor o compañero de trabajo, y analícenlo juntos.

Lo bueno de tener un entrenador, un consultor o alguien con quien trabajar, es que la otra persona no trae consigo una carga emocional para agregarle al proyecto, dado que se encuentra a una gran distancia de la situación. A nosotros, los seres humanos, nos encanta tratar de resolverlo todo.

El verdadero inconveniente surge cuando pensamos que aquello que estamos intentando solucionar no debería ser parte de nuestra vida. Cuando tienes frente a ti a alguien que no está ligado a esa conexión emocional que tú tienes con aquella situación difícil, ese alguien ve frente a sí muchas posibilidades y opciones de solución a tus circunstancias.

Ahora veamos el cuarto paso, el más importante en la resolución del problema, el que siempre debes dar, pero que por lo general nadie quiere.

El cuarto paso es **terminar tu proyecto**.

Una de las últimas piezas del rompecabezas sobre cómo ser realmente productivo, fructífero y exitoso —es viendo el valor que tiene el hecho de terminar lo que empiezas. Observa cuánta energía se requiere para sostener toda clase de proyectos inconclusos en tu mente. De hecho, se requiere más energía para cargarlos que para terminarlos —¡mucha más energía!

Inténtalo en algún momento. Dedícate a hacer lo que necesitas para concluir algún proyecto que dejaste pendiente, hazlo sin detenerte a pensar si quieres o no hacerlo, y termina todo lo que dejaste inconcluso. Observa que al finalizar ¡te sentirás más energético! Es toda una paradoja: cuando terminas de hacer algo, tu sensación de energía hacia la vida, la claridad que tienes, al igual que tu felicidad, aumentan, —no disminuyen al haber trabajado para culminar lo que tenías pendiente.

Observa que al final de un partido de fútbol, los jugadores saltan por toda la cancha, ¿De dónde obtienes esa energía? Han estado jugando con el corazón todo el partido y sin embargo allí están saltando y corriendo por todas partes, abrazándose unos a otros. Luego van a sus camerinos gritando para después celebrar festejando toda la noche. Han terminado una victoria en la cancha. Así mismo, también nosotros hemos terminado un asunto inconcluso.

Ahora observa al otro equipo. Notarás que están exhaustos, que necesitan ayuda para llegar hasta sus camerinos, están tan cansados que se van a casa muy abatidos. La razón por la que se sienten así es porque para ellos es como si su trabajo hubiera quedado sin terminar. Todo eso que está inconcluso en mi vida me oprime, es como si tuviera parásitos mentales, y si lo concluyera, sería un nuevo comienzo y todo luciría fresco y emocionante. Las personas que posponen y posponen sus asuntos siempre están preocupadas por algo, y la razón para ello se debe a que saben muy bien que ya no tienen mayor capacidad de atención para lidiar con todo esto que tienen pendiente por resolver. La mente se llena de estos parásitos mentales llamados "asuntos no resueltos".

Así que el paso final para resolver los problemas es asegurarte de haberlos dejado resueltos por completo.

108. Dale la bienvenida a toda circunstancia

Nada espléndido les ha ocurrido, excepto a
aquellos que se atrevieron a creer que algo
dentro de sí era superior a sus circunstancias.
—BRUCE BARTON

Tu labor como líder exitoso es darle la bienvenida a toda circunstancia.

Los líderes desmotivados y con poca inspiración, restan motivación a su equipo reaccionando negativamente a las circunstancias, a medida que estas surgen. Lo primero que necesito tener en cuenta frente a toda nueva situación, es la diferencia entre percepción y circunstancia. Hay una enorme diferencia entre las dos. La percepción maneja la conducta humana.

Supongamos que le tienes miedo a las culebras, que no te gustan, piensas que son fastidiosas y peligrosas, así que no tienes ningún interés en ellas, ni quieres una cerca de ti. Un día te das cuenta que una culebra se metió en tu casa.

Mira cómo reaccionas. Observa tus acciones y pensamientos. Entras en pánico, tiemblas, te sales por una ventana, llamas al 911 y a la entidad que controla los animales, y con todo y eso, tu corazón todavía late muy fuerte. Existen toda clase de conductas, en este caso, que podríamos grabar como ilustración de las distintas formas en las que nos comportamos cuando hallamos una culebra dentro de nuestra casa.

Ahora, imagina que eres un biólogo y que te especializaste en culebras —que es en lo que más te gusta trabajar. Las has estudiado, has trabajado con ellas en el laboratorio y en el campo. Estás en tu casa y de repente ves que hay una culebra en tu patio.

Como conoces sobre culebras, la identificas de inmediato y te das cuenta que esa culebra es totalmente indefensa. De hecho, cuando la ves, te emocionas y piensas: "¡Qué espécimen tan hermoso!" y debido a tus conocimientos, le consigues la clase de comida adecuada, la que sabes que le gusta, luego la pones en una caja que guardaste, justa para la ocasión. La culebra se te acerca y tú la tomas con tus manos, la admiras y dices: "¡Vaya! ¡Qué lindo espécimen, qué chica más linda es esta!".

Mira esas dos maneras tan distintas de responder a una culebra. Observa que la circunstancia en este caso fue que "una culebra se entró a una casa". Eso fue lo que ocurrió. Sin embargo, la circunstancia en sí no es la que causa una respuesta directa de tu parte, sino la percepción que tienes acerca de ella. Todos tenemos circunstancias en nuestra vida como la recesión, la pérdida del empleo, la reducción de horarios, pocas ventas, divorcio, mal clima —toda clase de situaciones que suelen ocurrir. Pero la forma en que sentimos y actuamos no se debe a las circunstancias, sino a la percepción que tenemos acerca de ellas.

La primera persona que vio la culebra, sintió pánico basada en su percepción: las culebras son una amenaza. Para la segunda persona, el biólogo, su percepción es que las culebras son fascinantes y le dio la bienvenida.

La buena noticia en este caso es que yo puedo cambiar mi percepción porque yo estoy a cargo de mis percepciones. Las circunstancias no tienen nada que ver con esto. Yo puedo cambiar conscientemente mi percepción hacia pequeños cambios dentro de una empresa, e incluso sobre cambios grandes, como una recesión. Y puedo ayudar a mi equipo a hacer lo mismo. Es posible que me sienta deprimido con la situación, pero puedo desafiar mis creencias y pensamientos. A lo mejor lo bueno sobre la recesión, o sobre cualquier otra circunstancia que pone en riesgo la tranquilidad, es que tengo la opción de levantarme en respuesta a ella, como se levanta la cometa contra el viento. Si no existiera viento en contra, la cometa no se elevaría. Si no hay un reto para mí, no podré volverme más fuerte, no creceré. Si no hay peso por levantar, el brazo no desarrolla músculo. Así que esto a lo que le llamo recesión, y que estoy etiquetando como malo, también puedo etiquetarlo como bueno.

Pensamientos que le ayudan a tu percepción: *¿Qué es lo bueno de esta circunstancia? ¿Qué me beneficia? ¿Cómo puedo crecer? ¿Cómo puedo ser mejor debido a esto?*

Las percepciones manejan la conducta, los sentimientos, los patrones, incluso hasta las soluciones más creativas, o llegar al otro extremo de sentir autocompasión y otros sentimientos destructivos. Los patrones de autodestrucción provienen de percepciones que producen temor, pero tenemos la capacidad para cambiar de percepción, tantas veces como queramos. Solo tenemos que echar mano de nuestra mejor capacidad creativa.

109. Haz lo que se requiere

Lo que harás en la próxima hora ¿es lo suficientemente productivo en tu vida? ¿Requiere de acción? ¿O solo lo harás para mantenerte ocupado?
—DUSAN DJUKICH

De todos los miles de libros sobre liderazgo y administración de empresas, nuestro absoluto favorito es el de Dusan Djukich, *Straight-Line Leadership*. En él, Djukich hace un contraste entre los líderes que van en círculo todo el día, *versus* los que siguen una línea recta, de A a B, yendo directo hacia los resultados que quieren. Su premisa central es que todos sabemos qué tenemos que hacer para conseguir los resultados que queremos. El autor les pide a sus lectores que identifiquen su principal objetivo y que después hagan *la lista de todas las acciones necesarias que se requieren para lograrlo.*

Observa el énfasis en las palabras *"necesarias", "requieren"* y *"lograrlo".* No hay lugar para vaguedades ni imprecisiones. Es cuestión de hacer todo lo necesario, lo que se requiere. La lista te ubica.

Dusan Djukich es un líder y entrenador destacado, que comienza su labor con los líderes a los que entrena haciéndoles preguntas directas y puntuales. Nos ha autorizado para compartir algunas de sus preguntas, así que sería útil que las contestaras y que tu equipo de trabajo hiciera lo mismo:

- ¿Qué haría que esta conversación fuera impresionantemente útil para ti?

- ¿En qué quieres utilizar el resto de tu vida?

- ¿Qué lograrías si dieras el 100% sin ningún temor?

- ¿Qué te hace falta? (No soy útil, si no sé qué me hace falta).

- ¿Cómo sería tu vida, si respondieras de otra manera?

- ¿Vale la pena este ejercicio? ¿Por qué?

- ¿Es demasiada información?

- ¿Cómo te gustaría que fuera?

- ¿Qué experiencia quieres lograr al realizar este ejercicio?

- ¿De qué te sirve?

- ¿Qué te hace creer que es así?

- ¿Qué te parecería resolver tu situación?

- Basado en tu interés, ¿qué te gustaría lograr?

- ¿Qué acuerdos podemos hacer?

110. Transformación, no información

Para llevar a un tonto a la bancarrota, dale información.
—NASSIM NICHOLAS TALEB

La última forma de motivar a los demás es usando todos los libros y mentores —así como los entrenamientos en liderazgo—, que más te motivan, como un método de transformación, y no solo como un medio de información. Toma las partes de los libros que hayas resaltado y úsalas en el juego de la vida real. Piensa en ellos en términos de herramientas, no de normas.

Ya tienes mucha información. La clave para convertirte en un maestro para motivar a otros es convirtiendo tu información en transformación —en un cambio real. Elige algún tema visto y practícalo. Practica algún pasaje, convierte este libro en tu cartilla de trabajo, haz que sea práctico, no solamente teoría, toma acciones basadas en él.

La información te hará retrasarte, pero la transformación te dará velocidad. En lugar de ver cada libro como un conjunto de buenas ideas, transfórmalo en un plan de acción, asóciate con alguien y ríndase cuenta mutua de lo que han aprendido en cada lección, y luego pónganlo en práctica.

Cuando los líderes reciben este libro como parte de su material en el seminario que dictamos sobre cómo motivar a los demás, con frecuencia nos preguntan: "¿Cómo cree que podría ayudarme este libro? ¿Qué cree que debería hacer con él?". Nuestra respuesta es siempre la misma: "Sigue las instrucciones".

Puedes leer un manual sobre cómo aprender a montar en bicicleta y después alejarte del asunto con la información atiborrada en tu cerebro. O puedes leer el manual, soltar el libro... *y montarte en tu bicicleta.*

Bibliografía

Bennis, Warren. *On Becoming a Leader*, Edición revisada. Filadelfia, Pensilvania, Perseus Publishing, 2009.

Branden Nathaniel. *Self Esteem at Work: How Confident People Make Poweful Companies*. New York, Jossey-Bass, 1998.

Collins, Jim. *Good to Great: Why Some Companies Make the Leap and Others Don´t*. New York: HarperBusiness, 2001.

Coonradt, Charles. *The Game of Work: How to Enjoy Work as Much as Play*. Layton, Utah: Gibbs Smith, 2007.

Dauten, Dale. *The Laughing Warriors: How to Enjoy Killing the Status Quo*. Publicación privada. Lumina Media, 2003.

Djukich, Dusan. *Straight-Line leadership: Tools for Living With Velocity and Power in Turbulent Times*. Bandon, Ore: Robert Reed Publishers, 2011.

Goss, Tracy. *The Last Word on Power: Executive Reinvention for Leaders Who Must Make the Impossible Happen*. New York: Crown Business, 1995.

Hill, Napoleon. *Think and Grow Rich*, Edición revisada. New York, Tribecca Books, 2012.

Nelson, Bob. *1001 Ways to Reward Employees*, Segunda edición. New York: Workman Publishing Company, 2005.

Taleb, Nassim Nicholas. *The Black Swan: The Impact of the Highly Improbable*. New York; Random House, 2007.

Sobre los autores

Steve Chandler es un conferencista reconocido, además de entrenador experto, con un extenso número de clientes de *Fortune 500*. También es un conferencista muy popular en convenciones (Arthur Morey, de Renaissance Media, dijo: "Steve Chandler es la figura original de mayor inspiración en el campo altamente competitivo de las conferencias motivacionales"). Su primer libro, *100 maneras de motivar a los demás*, fue seleccionado como el *"Audiolibro del año 2007 de Chicago Tribune"*. Sus libros, ahora en siete idiomas, se han convertido en *bestsellers* alrededor del mundo. Para más información, consulta en www.stevechandler.com.

Scott Ridarchdson creció en Detroit, Michigan, y en Tuczon, Arizona. Se graduó en 1980 en Brigham Young University en el Programa de inglés-chino. En 1983 recibió el título en Leyes en The College of Law en Arizona State University. Ha ejercido durante más de 20 años en los campos del Derecho, en las áreas de inmigración y daños y perjuicios, y desde el año 2000 ha estado vinculado al entrenamiento de líderes. Este es el primero de muchos de sus libros. Scott vive con su familia en Arizona.